lith de Delpech

Dados Internacionais de Catalogação na Publicação (CIP)
(Câmara Brasileira do Livro, SP, Brasil)

Hammed (Espírito).
La Fontaine e o comportamento humano / ditado por Hammed ; [psicografado por] Francisco do Espírito Santo Neto. -- Catanduva, SP : Boa Nova Editora, 2007.

ISBN 978-85-99772-08-9

1. Autoconhecimento - Teoria 2. Comportamento humano 3. Espiritismo 4. Fábulas francesas 5. La Fontaine, Jean de, 1621-1695 6. Psicografia I. Espírito Santo Neto, Francisco do. II. Título.

07-0919 CDD-133.901

Índices para catálogo sistemático:
1. Fábulas readaptadas : Aspectos filosóficos : Espiritismo 133.901

FRANCISCO DO ESPÍRITO SANTO NETO
ditado por HAMMED

La Fontaine
e o comportamento humano

boanova
Instituto Beneficente Boa Nova
Entidade coligada à Sociedade Espírita Boa Nova
Av. Porto Ferreira, 1.031 | Caixa Postal 143
Catanduva/SP | CEP 15809-020
www.boanova.net | boanova@boanova.net
Fone: (17) 3531-4444

2ª edição
Do 11º ao 20º milheiro
10.000 exemplares
Abril/2007

Capa
Direção de arte
Francisco do Espírito Santo Neto
Designer
Cristina Fanhani Meira
Ilustrações
Gustave Doré

Tradução
do original em francês *La Fontaine Fables*,
editora *Le Livre de Poche / Classiques*
por Maria Cristina de Oliveira

Readaptação das Fábulas
pelo espírito Hammed

Revisão
Paulo César de Camargo Lara
Maria de Lourdes Pio Gasparin

Editoração eletrônica
Cristina Fanhani Meira

O produto da venda desta obra é destinado à
manutenção das atividades assistenciais da
Sociedade Espírita Boa Nova, de Catanduva, SP.

ÍNDICE

Explicações necessárias

Fábulas são histórias fictícias que simulam verdades, têm sempre fundo moral ou didático, envolvem freqüentemente animais falantes ou divindades e, muitas vezes, apresentam feição humorística.

A palavra fábula é latina (*fabula, ae*) e significa relato, conversação, narração alegórica. É dela que provém o verbo *fabulare* – em português "falar".

O mais antigo fabulista de que se tem notícia foi Esopo, escravo que viveu na Grécia no século VI antes de Cristo. Tornou-se famoso pelas curtas histórias de animais, cada uma delas com um ensinamento sobre procedimentos inteligentes diante de situações que envolvem moral e ética. A presença dos animais em seus contos deve-se principalmente ao convívio ativo entre os homens e o mundo animal naqueles tempos. Ele teve alguns continuadores, como o romano Fedro (séc. I a.C.), que enriqueceu suas fábulas estilisticamente, e o francês Jean de La Fontaine (séc. XVII), entre outros.

Inspirado em Esopo, La Fontaine reinventou essas histórias, tornou-as mais atuais e, com isso, alcançou enorme popularidade. Elas ganharam um sentido mais moderno, pois, freqüentador que era da corte francesa, ele utilizava seus contos para criticar os relacionamentos sociais e a moralidade da época. É muito conhecida sua frase: "Sirvo-me de animais para instruir os homens".

Reunidas em doze livros publicados entre 1668 e 1694, as fábulas tinham elementos da comédia, do drama, além de episódios que enfocavam a melhor maneira de utilizar as boas qualidades morais. Moralidade essa inquestionável, visto que reafirmava a manutenção do *status quo*, isto é, a conservação da ordem preestabelecida pela sociedade vigente.

A moral nessas fábulas, apresentada de forma normativa, estabelecia regras perfeitas e condutas irrepreensíveis isentas de falhas, tendo como modelo um comportamento maniqueísta, ou seja: um modo "certo", que necessita ser imitado com a máxima fidelidade; e um modo "errado", que precisa ser completamente banido e evitado.

O maniqueísmo – doutrina que consiste basicamente em afirmar a existência de um conflito cósmico entre o reino da luz (o Bem) e o das sombras (o Mal) – foi fundado por Mani (Manes ou Manchaeus) na Pérsia e amplamente difundido no Império Romano nos séculos III e IV.

Essa postura bipartida do mundo, reduz as criaturas a uma visão de "o unicamente correto" e o "unicamente errado", dividindo a existência humana em poderes opostos e incompatíveis e resulta numa forma deficiente de sentir, pensar e agir diante do mundo. Essa visão é uma das possíveis responsáveis pela intolerância e pelo fundamentalismo vigente na sociedade.

O desconhecimento em relação à verdade do outro nos leva a um modo de ver maniqueísta e, por decorrência, aos mais diversos tipos de preconceito: racismo, sexismo e outros tantos.

Após essas explicações julgadas necessárias, queremos afirmar que as idéias aqui contidas não pretendem validar filosofias dualistas ou maniqueístas, nem mesmo definir caminhos únicos para todos e prescrever o que deve ou não ser feito diante da vida que o Criador nos outorgou com a lei do livre-arbítrio.

Ao comentarmos estas fábulas, temos a aspiração de levar a todos uma reflexão dos porquês da diversidade comportamental dos indivíduos, para que possamos nos entender melhor e, ao mesmo tempo, entender os outros em suas peculiares maneiras de agir e reagir ante as diferentes circunstâncias existenciais.

Acreditamos que as fábulas podem ter a mesma função do espelho. A variedade de imagens e idéias descritas leva o leitor a identificar-se emocionalmente com elas e projetar suas necessidades evolutivas nos contos, moldando seus significados de modo que reflitam conteúdos psicológicos que precisam de ressignificação.

Associando-se a fictícias personagens, o leitor entra em contato com suas próprias memórias e fantasias mais recônditas, faz uma releitura de conflitos dos quais se encontra distanciado e uma interpretação de seus desejos ignorados. Tais atitudes podem tornar-se objeto de um autotrabalho terapêutico.

As fábulas foram escritas originalmente por La Fontaine em forma de versos ou com características poéticas, mas achamos por bem adaptá-las e reorganizá-las sem metrificação e não sujeitas a ritmos regulares, a fim de torná-las mais informais e moldá-las à atualidade.

Narrativas pedagógicas protagonizadas por animais irracionais, cujo comportamento, preservando-se as características próprias, deixa transparecer inúmeros ensinos, via de regra proporcionam um restabelecimento da saúde emocional aos seres humanos. As fábulas podem levar-nos a profundas reflexões.

Introdução

"Mais é preciso estudar os homens do que os livros." (La Rochefoucauld)

Por várias vezes, corações amigos nos solicitaram que escrevêssemos um livro sobre as fábulas do ilustre Jean de La Fontaine, procurando adaptá-las à Doutrina Espírita e associá-las ao comportamento humano, já que nutríamos por esse autor fortes ligações ideológicas e carregávamos no coração laços de amizade que os séculos não conseguiram destruir.

Ainda argumentaram que poderíamos tecer breves comentários sobre esses contos interessantíssimos, que colocam em cena animais de *habitats* diversos dialogando uns com os outros e manifestando, muitas vezes, comportamentos peculiares e curiosos, semelhantes aos dos seres humanos.

Páginas que facilitassem à alma humana não apenas compreender, de forma intelectual, mas também assimilar profundamente o aprendizado da transformação interior ou da renovação das atitudes. Algo claro, objetivo e sintético que reunisse valores universais e preceitos éticos que pudessem nos orientar a caminhada em direção à paz íntima...

Assim nasceu este trabalho...

Entretanto, gostaríamos de acrescentar que não nos encontramos no pleno alcance de efetuar a obra solicitada, pois ela requer habilidade e competência técnica e apurado conhecimento das influências mútuas entre as criaturas de diversos campos socioculturais, do conjunto de ações e reações instintivas e inatas dos indivíduos e das realimentações energéticas entre todos os seres humanos.

Assim, oferecemos este despretensioso livro, tecido com nossas modestas possibilidades, à análise dos leitores amigos, com o objetivo primordial, sem nenhuma presunção de nossa parte, de auxiliá-los na conquista da ampliação da consciência.

Ele se destina a todos aqueles que sentem vontade de crescer e que, sabedores da dificuldade em conseguir isso sozinhos, buscam espaços interativos para o entendimento da ciência do comportamento humano. Auxilia, igualmente, a todos os que são "garimpeiros da vida", os que fazem uma extração e seleção de "pedras preciosas" a partir da coleta da própria vivência do cotidiano e dos potenciais inatos existentes na intimidade.

Allan Kardec perguntou à Espiritualidade Superior: "Qual é o meio prático e mais eficaz para se melhorar nesta vida, e resistir ao arrastamento do mal?"

Os Benfeitores Espirituais responderam: "– Um sábio da Antigüidade vos disse: Conhece-te a ti mesmo".[1]

O autoconhecimento é, portanto, a chave do progresso individual. Através dele podemos verificar a diferença entre um comportamento instintivo ou inato (aquele que é determinado apenas pela força dos instintos) e um comportamento social ou aprendido (aquele que é interativo entre dois ou mais indivíduos de uma mesma coletividade).

Conhecer-se requer um estudo não somente do próprio comporta-

---

[1] *Questão 919 de "O Livro dos Espíritos".*

mento, mas igualmente do comportamento humano como um todo, bem como o que o sustenta, o que o determina e o que o finaliza.

Estas anotações singelas representam um esforço literário adaptado quanto possível ao campo de um entendimento simples e lúcido. A partir de uma coletânea de fábulas, que sempre ilustram um preceito moral, fizemos ponte em direção da Doutrina Espírita, mensageira que é de uma visão ampla e integral do ser.

Sob a designação de "La Fontaine e o comportamento humano", estas páginas, dirigidas aos nossos companheiros de jornada evolutiva, buscam ainda relembrar que as ações e condutas exteriores são geradas inicialmente na vida íntima, onde os pensamentos criam a saúde ou a enfermidade, o que, aliás, é perfeitamente demonstrado pelos princípios da interdependência, repercussão ou reverberação.

Todo fenômeno psíquico pode ser explicado por reflexos/experiências e combinações destes. Os reflexos/experiências demarcam as emoções. As emoções criam as idéias. As idéias geram os comportamentos e as palavras que comandam os atos e as atitudes.

Somos no presente, por conseqüência, herdeiros diretos do acúmulo de nossas experiências, com possibilidades de alterar-lhes, no futuro, a qualidade, a amplitude e a direção, com vistas a atingir a felicidade plena.

Hammed

Catanduva, 11 de dezembro de 2006.

Biografia de Jean de La Fontaine

Jean de La Fontaine (1621-1695) nasceu em 8 de julho de 1621, em Château-Thierry, na região de Champagne, na França. Filho mais velho de Charles de La Fontaine, encarregado local das Águas e Florestas, e de Françoise Pidoux, cresceu afeiçoado à natureza que o rodeava, tornando-se amante dos campos, árvores, lagos, rios e florestas. Aprendeu os hábitos e costumes corriqueiros de uma centena de animais, pois observava com entusiasmo a lassidão, o tédio, a aversão e a contrariedade desses "multípedes filósofos". Em virtudes de suas fábulas, seu nome ficou gravado até os dias atuais na memória de milhões de pessoas.

Embora fosse um garoto tímido e de aparência simples, possuía extraordinária mentalidade e talento. Desenvolveu seus estudos básicos em sua cidade natal, e logo a seguir foi para o seminário de Saint-Magloire. Seus pais julgaram que o fariam sacerdote, mas não tiveram êxito com tal expectativa. Depois de alguns meses como noviço, abandonou a vida religiosa e passou a estudar leis. Ele então tentou dedicar-se à advocacia; acabou, porém, encontrando na poesia seu verdadeiro campo vocacional.Casou-se com Marie Héricart, com quem teve um filho, e dela separou-se após alguns anos.

Entre 1686 e 1694, La Fontaine publicou sua primeira coleção de fábulas, totalizando doze livros de contos escritos em verso. Em um deles foi feita uma dedicatória (discurso) ao senhor duque de La Rochefoucauld, em conseqüência da amizade entre os dois. Ligada ao duque estava madame La Fayette, uma das mulheres mais cultas da sua época. Ela, por sua vez, muito influenciou na divulgação das fábulas, pois era grande admiradora e simpatizante do fabulista.

Dotado de rica sensibilidade, era nas suas fábulas que ele se superava; todavia, esses contos versados de La Fontaine contribuíram mais para sua glória e fama do que para seus bolsos.

Alguém desprovido de qualquer ganho, proveito ou lucro precisou de bons e ricos amigos para que pudesse suprir sua subsistência. E assim, sob a proteção da nobreza, dedicou-se às letras.

Transferindo-se para Paris, foi apresentado em 1658 a Nicolas Fouquet, ministro de Luís XIV, através do qual obteve um emprego para produção de pequenas obras poéticas, o que lhe permitiu desfrutar da suntuosa vida do palácio de Vaux até 1661, quando o seu protetor foi preso e perdeu o cargo.

Depois da queda de Fouquet, ele foi privado da sua renda anual e não sabia como se manter. Posteriormente, recebe a proteção de Marguerite de Lorena, duquesa de Orléans, instalando-se no palácio de Luxemburgo como cavalheiro de serviço, lá permanecendo de 1664 a 1672.

Manteve contato com Molière, Jean Racine[1] e tornou-se amigo íntimo de personalidades como madame de Sévigné, visconde de Turenne (Henri de la Tour d'Auvergne-Bouillon) e príncipe de Condé (Louis II de Bourbon-Condé).

Marguerite de Lorena faleceu em 1673, e o poeta, que levava uma vida despreocupada e não conseguira economizar os modestos honorários obtidos com seus livros, viu-se com uma imensa dívida. Ele, porém, teve mais sorte que a "cigarra" de sua fábula, pois a culta e gentil madame de La Sablière deu-lhe total amparo e cuidados fraternais em sua casa, na rua Saint-Honoré, onde ele viveu durante vinte anos (1673-1693).

Em determinada ocasião, disse essa dama da alta sociedade francesa: "Eu dispensei quase todos os meus empregados domésticos, mantive apenas meus animais de estimação, para que meu poeta favorito não tivesse maiores preocupações com as necessidades mundanas". La Fontaine, por sua vez, não publicou nada que não fosse primeiro submetido a essa letrada senhora.

Quando a marquesa de La Sablière desencarnou, em 1693, La Fontaine ficou desprovido de um lar. Depois de deixar a casa de sua benfeitora, preocupado e pensativo, andava pela cidade quando encontrou Monsieur d'Hervart, alto funcionário do Parlamento de Paris, que foi logo lhe dizendo: "Meu querido La Fontaine, tomo a liberdade de lhe pedir que venha se hospedar em minha casa". Ele respondeu: "Eu estava justamente indo para lá".

A seu respeito, disse o rei: "A juventude tem recebido um grande benefício na sua educação decorrente das excelentes fábulas colocadas em verso, que ele tem publicado até agora."

Ao poeta considerado "distraído" foi concedida a honra de presentear seu livro ao rei Luis XIV em pessoa. Com esse propósito, foi ao palácio de Versailles, e lá chegando percebeu que havia esquecido de levar o livro. Foi recebido da mesma forma, com toda a honra e abarrotado de presentes. Além disso, no seu retorno, ele perdeu uma bolsinha cheia de ouro com que o rei o presenteara. Felizmente, ela foi encontrada debaixo da almofada da carruagem que o conduziu de volta.

La Fontaine foi eleito membro da Academia Francesa em 1684 e recebido com honras em uma sessão pública. Morreu com quase 74 anos, em 13 de abril de 1695. Foi enterrado em Paris.

Disse Voltaire[2] a respeito das Fábulas: "*Eu desconheço um livro que seja tão abundante em beleza e encantamento, adaptado ao povo e ao mesmo tempo a pessoas de gosto refinado. Acredito que, de todos os autores, La Fontaine... é para todo tipo de espírito e para qualquer época.*"

Conta-se que Fénélon[3], compreendendo a simplicidade dos gênios gregos, igualmente admirava a espontaneidade e naturalidade das fábulas de

La Fontaine pela despreocupação com o estilo e com o pedantismo humanista, em uma época em que a corte francesa prezava a arrogância cultural e a erudição rebuscada. Fénélon, quando soube do seu falecimento, escreveu: "*Com ele morreram o espírito alegre e as risadas felizes...*".

De todas as personagens aqui referenciadas como companheiros de lutas evolutivas e de ideal literário de Jean de La Fontaine, destacamos La Rochefoucauld, madame de Sévigné[4] e madame de La Sablière[5], por se encontrarem presentes espiritualmente colaborando no modo pelo qual os elementos constituintes deste livro se dispuseram e se integraram. Outras tantas figuras da mesma época, cujos nomes não nos foi permitido revelar por motivos diversos, também deram sua contribuição na composição e na inspiração destas páginas.

Reencontrando os Espíritos amigos de outras eras, sinto o coração jubiloso e suavizado ao constatar a dedicação de todos no firme propósito de evoluir, pois não é sem razão que, na atualidade, trabalhamos na mesma oficina e estudamos na mesma escola com vista a conquistar a expansão da consciência.

Sabemos, hoje, que nossa maior dificuldade não está na posse do saber, e sim, no alcance da iluminação íntima.

A Doutrina Espírita, no aprimoramento das emoções, relembra o Cristianismo redivivo: faz com que os chamamentos do Mestre Jesus ecoem em toda a parte, convocando as almas em crescimento para o serviço de reconstrução.

Afeiçoemo-nos, pois, à mensagem do Evangelho, entendendo a necessidade premente de clarearmos idéias, percepções e sentimentos, porque, segundo a palavra cordata e sábia do Apóstolo, disse Jesus: "Eu sou a luz do mundo; quem me segue de modo algum andará em trevas, mas terá a luz da vida." (João, 8:12.)

Hammed

Breves informações de algumas personagens citadas nesta biografia

[1] Jean Baptiste Racine (1639-1699), órfão, criado pelas religiosas de Port-Royal de 1645 a 1658, fez seus estudos de lógica no colégio de Harcourt. Amigo de La Fontaine, escreveu "A ninfa do Senaem" em 1660 e no ano seguinte partiu para Uzès. Retornando a Paris, viu representadas suas primeiras tragédias. Espírito ousado e freqüentemente mordaz, teve uma ascensão rápida e uma carreira brilhante. Em 1667, abandonou o teatro. Reconciliado com seus mestres de Port-Royal, foi nomeado historiógrafo do rei por Luís XIV. Doze anos mais tarde, a pedido de Mme. de Maintenon, escreveu duas peças para os alunos de Saint-Cyr: Ester (1689) e Atália (1691).

[2] Voltaire (1694-1778). Seu nome verdadeiro é François Marie Arouet.Um dos mais significativos representantes do iluminismo francês, Voltaire era filho de família abastada e estudou em escola jesuíta, onde a maioria dos alunos pertencia à nobreza. A partir de 1712 Voltaire começou a ser admirado pela sociedade parisiense por sua inteligência e pela sua capacidade de fazer versos e entreter as pessoas. Em 1717, foi encarcerado na Bastilha por ter escrito versos que criticavam o governo. Viveu como um fervoroso opositor da Igreja Católica que, segundo ele, era um símbolo da intolerância e da injustiça.

[3] François de Salignac de La Mothe, duque de Fénelon, nasceu no castelo da família, em Périgord, em 6 de agosto de 1651. Faleceu em Cambrai a 7 de janeiro de 1715, aos sessenta e três anos de idade. Fénelon figura na Codificação, em vários momentos, podendo ser citado: "O Livro dos Espíritos", onde assina Prolegômeros, junto a uma plêiade de luminares espirituais. Igualmente a resposta à questão de nº 917 é de sua especial responsabilidade. Em "O Evangelho Segundo o Espiritismo", apresenta-se em vários momentos, discursando sobre a terceira revelação e da revolução moral do homem (cap. I, 10); o homem de bem e os tormentos voluntários (cap. V,22 - 23); a lei de amor (cap. XI, 9); o ódio(cap. XII,10) e emprego da riqueza(cap. XVI,13).Em "O Livro dos Médiuns", figura no capítulo das Dissertações Espíritas (cap. XXXI, 2º parte, itens XXI e XXII), desenvolvendo aspectos acerca de reuniões espíritas e da multiplicidade dos grupos espíritas.

[4] Marie de Rabutin Chantal, a Marquesa de Sévigné (1626-1696), nasceu em um palacete na la Place Royale de París. Filha de Celso Benigno de Rabutin, barão de Chantal, que pertencia a uma ilustre e respeitada linhagem da nobreza de Borgonha, e de Maria de Coulanges, procedente de uma família rica, mas de nobreza recente. Foi um dos espíritos mais brilhantes do século XVII, contemporânea de Racine, Pascal, La Fontaine e Moliére , destacou-se na literatura francesa, como escritora.

[5] Margarida Hessein, Madame de La Sablière, nasceu e faleceu em Paris, onde viveu de 1636 a 1693. Rica de nascença e bem casada – o pai e o marido eram banqueiros abastados – ela viveu uma existência livre, cercada de cientistas, liberais e de filósofos que recebe na sua mansão. Possuia uma grande cultura, e sua conversação abrangia várias áreas do pensamento humano: por conseguinte foi uma das mulheres mais brilhantes do seu século. Abrigou La Fontaine a partir de 1673, e perto dele encontrou equilíbrio, compreensão e cumplicidade. La Fontaine dedicou-lhe a primeira fábula do livro X, assim como o seu discurso de apresentação à Academia francesa, conhecido sob o título Discurso à Senhora Sablière (1684).

Os Coelhos

Discurso ao senhor Duque de La Rochefoucauld [1]

Observando as ações dos homens, cada dia mais me convenço de que elas se assemelham às dos animais. E para comprovar minha teoria, exemplifico com uma história que aconteceu comigo.

Tendo saído para uma caçada, de tocaia no galho de uma árvore, vi um coelho distanciado dos outros. Atirei nele e matei-o. O estampido fez com que todos os coelhos que estavam por perto fugissem rapidamente e procurassem segurança em cavidades subterrâneas.

Mas, dali a pouco, os coelhos voltaram à superfície e continuaram suas vidinhas alegres e corriqueiras, esquecidos do perigo que há pouco os assustara.

Não age assim também a espécie humana? Ameaçados por uma tempestade, os homens procuram proteção num "porto seguro", colocando em segurança a sua vida. No entanto, passado o perigo, eles se expõem novamente a outros temporais, quem sabe até mais violentos.

E para reforçar minha argumentação, cito ainda outro exemplo:

---

[1] *La Rochefoudauld: breve biografia no próximo capítulo.*

Quando os cães passam por territórios estranhos aos que lhes são costumeiros, provocam a ira dos animais locais que, a latidos e dentadas, espantam os supostos invasores por pressentirem neles uma ameaça aos seus domínios.

Os homens se assemelham aos cães quando atacam o que é novo por medo de serem por ele substituídos. Segundo a lógica dos seres humanos de vida trivial, quanto menos inovação, melhor.

Assim acontece também com os escritores. Dizem os mais antigos: "Abaixo o novo autor". Que haja ao redor do bolo o mínimo de sócios. Essa é a regra do jogo e dos negócios.

Tolos são os homens! Não vêem eles que, passado o primeiro impacto, as coisas se acomodam? O novo ganha seu espaço muitas vezes sem invadir o espaço alheio. E dali a algum tempo, findo o sabor da novidade, tudo se ajeita. Até que apareça outra inovação e a história se repita.

E vós, a quem este discurso se dirige; vós, em quem a modéstia à grandeza se alia; que vosso nome receba aqui uma homenagem do tempo e dos censores pelo justificado e merecido louvor.

Moral da história

O medo do novo

Podemos tranqüilamente mudar de idéia se surgirem novas informações que exijam de nós essa postura. Ao que parece, temos medo de ser convencidos pelos argumentos e razões dos outros.

O motivo é o receio de precisarmos alterar nossas opiniões, jogando fora os juízos que alicerçam nosso ponto de apoio bem como o prestígio e a reputação. Preferimos viver deprimidos a dar o braço a torcer, a abrir mão de uma teima ou a nos rendermos a uma evidência cujo resultado seria benéfico, pois nos traria muita alegria de viver.

Não devemos escamotear nossa energia prazerosa em nome do condicionamento social, para darmos a falsa impressão de que somos pessoas boas, ajustadas e nobres, e na essência, sermos profundamente infelizes.

É muito mais cômodo ficar no lugar-comum, mantendo a mente fechada a novos aprendizados e uma postura ajustada a um nível limitado de saber. Mas é confortavelmente enfadonho não querer correr o risco de aderir às produções que fogem a padrões costumeiros, temendo perder nosso referencial interno.

Somos poucos receptivos à renovação das idéias porque acreditamos ser humilhante reconhecer nossas falsas interpretações e equívocos e ter que anular nossas decisões por outras.

Todavia, quando os dias passarem e a marcha do progresso tornar evidente tudo aquilo que refutávamos, aí perceberemos que a nossa oposição obstinada diante do novo era fruto do nosso orgulho e ignorância. O vaidoso é o que mais rejeita as coisas inusitadas.

Quantas vezes, por interesses pessoais – fama, dinheiro, ascensão social –, apedrejamos o novo, denegrimos sua imagem e o atacamos sem piedade?

Quantas vezes, por comodismo, perdemos a chance de evoluir porque não encaramos o novo?

As mudanças são necessárias. Mudar faz bem, porque exige um novo olhar, amplia o campo de visão, estimula a reflexão e, conseqüentemente, acarreta amadurecimento.

O novo, muitas vezes, aparece em nossa vida como um conflito, um problema a ser resolvido.

Assim é na fábula. Assim é na vida.

O estampido que assusta os coelhos é o novo que provoca reações, que exige alteração da rotina; o novo é o bando de cães que passa em território alheio e provoca a ira dos cachorros locais, que reagem à invasão do inimigo fictício.

Não se deve evitar o novo nem reagir contra ele.

Interagir com o novo: eis o que deve ser feito. Aceitar as mudanças é uma prova de inteligência. O homem inteligente é aquele que se adapta a novas situações e com elas se integra.

Diante do novo, nem sempre precisamos mudar o caminho; às vezes, só mudamos o jeito de caminhar.

"Os espíritos medíocres comumente condenam o que está além do seu alcance."

La Rochefoucauld

Nossa homenagem a La Rochefoucauld

"Conhece-te a ti mesmo", o mandamento do oráculo, continua a ser tão imprescindível hoje, quanto na antiga Delfos e nos séculos posteriores. Permanece como um grande marco que define, um ideal de compreensão e aperfeiçoamento de todo ser humano que busca acender uma luz em seu interior.

François VI, duque de La Rochefoucauld e príncipe de Marillac, nasceu em Paris em 15 de setembro de 1613, numa das famílias mais nobres e tradicionais da França e morreu em 17 de março de 1680, na mesma cidade.

Ele, como poucos, olhou para sua intimidade com clareza árida e naturalidade rígida, para entender realmente as falhas de si mesmo, bem como a dos seus semelhantes.

Suas máximas, expressão característica do classicismo francês, conservam até hoje sua força provocadora, ao exprimir com veracidade o comportamento do gênero humano.

Sua celebridade veio com "Réflexions ou sentences et maximes morales" (Reflexões ou sentenças e máximas morais) – 1665-1678, obra que teve cinco edições e ficou conhecida como "*Máximas*". Contém uma série de pequenos epigramas, nos quais La Rochefoucauld expressa sua indignação pela vida e a convicção do intrínseco egoísmo da natureza humana: "Se nós não tivéssemos defeitos não teríamos tanto prazer em notá-los nos outros."

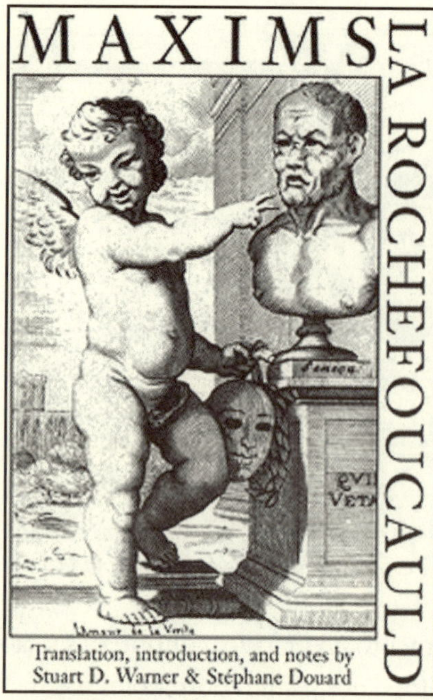

Um anjo arranca a máscara de um busto na gravura que ilustra a capa da primeira edição francesa em 1665, lançada a um ano depois da edição holandesa.

Este desenho no frontispício do livro valida perfeitamente o que sentencia seus pensamentos: "Nossas virtudes, na maioria das vezes, são vícios disfarçados".

Este livro foi redigido na mesma época em que foram escritas as famosas "Fábulas". E como La Fontaine deixou uma homenagem em sua obra à La Rochefoucauld, gostaríamos igualmente de homenageá-lo e deixar aqui evidenciado, nosso respeito e admiração por este ilustre pensador e prosador francês.

Eis aqui um trecho transcrito do livro "Máximas e Reflexões", intitulado *"Da Relação dos Homens Com os Animais"*, que bem corresponde as idéias das fábulas de La Fontaine:

"Há tantas espécies de homens quantas de animais, e são os homens para os outros homens o que as diferentes espécies de animais são entre si, e umas para as outras. Quantos homens não vivem do sangue e da vida dos inocentes! Uns, como tigres, são sempre bravios e cruéis; outros, como leões, guardam certa aparência de generosidade; outros, como ursos, são ávidos e grosseiros; outros, como lobos, são raptores e impiedosos; outros, como raposas que vivem de sua indústria, têm por ofícios lograr.

Quantos homens não têm parte com os cães! Destroem a própria espécie, caçam para o prazer de quem lhes dá de comer, às vezes seguem os donos, outras lhe guardam a casa. Há lebréus de guerra que devem a vida ao próprio valor, que têm nobreza na coragem; há dogues encarniçados que só o furor têm por qualidade; há cães menos ou mais inúteis que ladram sempre e só às vezes mordem, há mesmo os cães de guarda que nem comem o que é do dono nem deixam os outros comerem. Há símios e macacas que agradam pelas maneiras, que têm espírito e fazem sempre o mal; há pavões que só beleza têm, cujo canto desagrada e que destroem o lugar que habitam.

Há pássaros que só se recomendam pela plumagem e pelas cores. Quantos papagaios não falam sem cessar e nunca ouvem o que dizem; quantas pegas e gralhas não se deixam amansar para melhor furtar; quantas aves de rapina não vivem só da rapina; quantas espécies de animais pacíficos e tranqüilos não servem só de comida aos outros animais!

Há gatos, sempre à espreita, maliciosos e infiéis, que têm a pata de veludo; há víboras de língua venenosa cujo restante tem emprego, há aranhas, moscas, pulgas e percevejos sempre incômodos e insuportáveis; há sapos que só dão pavor e veneno; há corujas que temem a luz. Quantos animais não vivem debaixo da terra somente para se preservar! Quantos cavalos não empregamos em tantas coisas e não abandonamos quando já não servem; quantos bois não trabalham a vida toda para enriquecer aquele que lhe impõe o jugo; quantas cigarras que passam a vida a cantar; lebres que de tudo têm medo; coelhos que se assustam e sossegam num prisco; porcos que vivem na devassidão e no lixo; canários domesticados que logram seus semelhantes e os atraem para a rede; corvos e abutres que só vivem de podridão e corpos mortos! Quantas aves de arribação não vão de um mundo para o outro e se expõem a perigos em busca da vida! Quantas andorinhas sempre à procura de bom tempo; besouros irrefletidos e sem rumo; borboletas que anseiam pelo fogo que as queima; abelhas que respeitam a rainha e com regras e indústria se mantêm! Quantos zangões errantes e preguiçosos que procuram se estabelecer às expensas das abelhas! Quantas formigas cuja previdência e economia lhes alivia as necessidades! Quantos crocodilos que fingem derramar lágrimas para devorar quem com elas se comove! E quantos animais subjugados porque ignoram sua força!

Todas essas qualidades têm o homem, e pratica com os outros homens tudo o que praticam os animais de que falamos. "

Em sua homenagem dedicaremos sob cada imagem, no final dos capítulos, uma de suas máximas, que explicitará o significado pressuposto na fábula.

Hammed

O CORVO E A RAPOSA

A teia da adulação

"Indivíduos imaturos gostam das pessoas não por aquilo que elas são, mas por aquilo que elas os fazem sentir. A adulação é uma porta escancarada para o favoritismo, mas muito estreita para aqueles dotados de autoconfiança. A vaidade é a ostentação dos que procuram lisonjas, ou a ilusão dos que querem ter êxito diante do mundo, e não dentro de si mesmos."

Hammed

O corvo e a raposa

No alto de uma árvore, um corvo segurava no bico um pedaço de carne.

Uma raposa, atraída pelo cheiro, aproxima-se e lhe dirige a palavra:

– Ei! Bom dia, senhor corvo! Como o senhor está lindo! Como é bela a sua plumagem! Se o seu canto for tão bonito quanto ela, sinceramente, o senhor é a fênix dos convidados destas florestas.

E para mostrar sua "melodiosa" voz, ele abre o grande bico e deixa cair a presa.

A raposa se apodera da carne e diz ao corvo:

– Meu bom senhor, aprenda que todo adulador vive à custa de quem o escuta.

Esta lição vale, sem dúvida, pela carne que agora comerei.

O corvo, envergonhado e aborrecido, jurou, embora um pouco tarde, que nunca mais se deixaria levar por elogios.

A teia da adulação

Indivíduos imaturos gostam das pessoas não por aquilo que elas são, mas por aquilo que elas os fazem sentir.

O elogio é um dos mais fortes aliados da sedução, é algo de que se serve freqüentemente na "arte da adulação" para atrair e conquistar coisas ou pessoas. Lisonja é a expressão acentuada que emoldura reais ou fictícias qualidades, ações ou feitos de alguém, utilizando dissimulação dos próprios sentimentos, intenções, desejos. A função primordial da lisonja é evidenciar qualidades que não existem.

A partir do momento em que se deseja e em que se busca algo, a sedução poderá ocorrer. Inicia-se de modo capcioso o processo de atrair direcionado aos pontos vulneráveis de alguém. Quase sempre provoca nele uma reação de grande prazer, sensação de deslumbramento, encanto e fascínio ao exaltar uma suposta qualidade sua.

Adular é exaltar de forma exagerada os feitos ou o modo de ser de um indivíduo para a obtenção de favores e privilégios. A adulação é a capacidade de convencer com artimanha, persuadir com astúcia, sob promessa de vantagens, aplausos e engrandecimento, pessoas submissas à vontade de outrem ou dependentes da opinião alheia.

Existem várias formas de magnetizar utilizando a teia da bajulação, e são inúmeras as táticas da sedução. Vão desde pequenas expressões e entonações especiais ao se movimentar o corpo, mãos e braços até ao se pronunciar uma breve frase aparentemente sem intenção. Analisados nas entrelinhas, tais procedimentos revelarão um intuito ardiloso, imperceptível de imediato, mas altamente arrebatador.

Como esse jogo da sedução, ou melhor, essa estratégia psicológica se processa em nossa intimidade?

O primeiro requisito para a compreensão desse procedimento é avaliarmos o grau de persuasão ou intencionalidade do sedutor, pois é ele que determina a força e a intensidade que serão lançadas à criatura suscetível à sedução. E o segundo requisito é admitirmos a suscetibilidade do seduzido, porque este indivíduo deslumbrado tem em sua intimidade uma tendência ou predisposição para ceder a esse tipo de influência e se deixar contaminar pela adulação.

O aplauso ou o elogio que ele busca, muitas vezes à custa dos outros, pode ser fruto de privação emocional ou de falta de auto-aprovação na vida pessoal. A incerteza íntima leva-o a questionar o valor de seu desempenho e a estar sempre tentando provar sua importância por meio de louvor e apoio. Sua carência de autovalorização é atenuada com manifestações de enaltecimento.

Mais cedo ou mais tarde, será envolvido por uma aura de fracasso, porquanto a necessidade de sucesso se torna cada vez mais intensa. Por fim, não consegue demonstrar sua superioridade e acaba frustrado.

Para que possamos compreender esse fenômeno psicológico, é imprescindível aceitarmos que "onde há uma 'raposa' sedutora, sempre haverá um 'corvo' seduzido; onde há um trapaceado, sempre haverá um trapaceiro". Existe nesta parceria uma retroalimentação de atitudes íntimas – a ação controla a conduta e vice-versa.

Quem adula suborna o outro. Suborno não é simplesmente dar

dinheiro ou bens a terceiros com a finalidade de conseguir alguma coisa ilegal, mas, igualmente, dar fictícias qualidades, servir-se da fraqueza alheia, adulterar as possibilidades de alguém, utilizando manifestações exteriores que tendem a exagerar ou enaltecer descompensações psíquicas com o intuito de tirar algum tipo de vantagem.

Existem criaturas que se auto-enganam, crendo que o comportamento dos outros é apenas um "erro bondoso" ou equivocada demonstração de afeto. De alguma maneira, tudo aquilo que não é claramente definido ou entendido estimula a repetição de atos e atitudes, quer dizer, a perpetuação de comportamentos intrusivos.

"*Como o senhor é lindo! Como é bela sua plumagem! Se o seu canto for tão bonito quanto ela, sinceramente, o senhor é a fenix dos convidados destas florestas.*" O ser amadurecido impõe respeito, e não cede diante da adulação.

Entre adulação e admiração há uma divergência incondicional: o que admira não adula; o que adula não admira. A adulação é uma porta escancarada para o favoritismo, mas muito estreita para aqueles dotados de autoconfiança. A vaidade é a ostentação dos que procuram lisonjas, ou a ilusão dos que querem ter êxito diante do mundo, e não dentro de si mesmos.

Conceitos-chave

Sedução

Somos ensinados desde a mais tenra idade a resistir às seduções exteriores e explícitas, mas não estamos preparados para tomar consciência daquelas sutis e imperceptíveis. Vangloriamo-nos quando resistimos a algumas horas de sono a mais, a um romance casual, a uma fatia de bolo, mas nos entregamos sem avaliar às ínfimas seduções, ou seja, àquelas que nos impedem de sentir nossas emoções íntimas – alegria, raiva, tristeza, amor, medo e outras tantas. Sem discernimento do que elas podem nos mostrar, não podemos ter uma verdadeira consciência da realidade que nos cerca.

Insegurança

A insegurança traz à criatura um estado íntimo de desagrado e descontentamento, pois ela espera que os outros façam o que ela própria não consegue realizar, isto é, suas necessidades emocionais básicas. O inseguro busca nas pessoas consideração, valorização, afeto, aceitação, etc.; tem dificuldade para tomar decisões; é hesitante, embaraçado; espera muito dos outros e confia pouco em si mesmo.

Suborno

Não é somente dar dinheiro ou objetos de valor a alguém com a finalidade de ganhar ou obter coisas de forma ilegal; é igualmente a atitude astuta de fazer promessas, oferecer dádivas, préstimos, afeto, carinho, a quem quer que seja, a fim de conseguir proveito ou vantagem em benefício próprio.

Moral da história

Assim como o corvo, há na sociedade homens que se deixam levar por elogios: são inseguros e desprovidos de coerência e geralmente não atingem o ideal pretendido ou não realizam seu projeto de vida. Precisariam reconhecer e valorizar seus potenciais internos, não dar importância a adulações, opiniões e julgamentos alheios e entender que ninguém pode desejar ser diferente da finalidade para a qual foi criado. Uma das reações a longo prazo de conviver num ambiente doméstico sem organização e estrutura – seja como crianças ou como adultos – é que não se adquire segurança para viver. Quem desenvolve sua individualidade não cria ilusões, pois tem as próprias razões e discernimentos diante da vida.

Reflexões sobre esta fábula e o Evangelho

"Quando orardes, não vos assemelheis aos hipócritas, que se comprazem em orar em pé nas sinagogas e nas esquinas das ruas para serem vistos pelos homens. Em verdade vos digo, eles receberam sua recompensa." (ESE, cap. 27:1, Boa Nova Editora)

"Melhor é ouvir a repreensão do sábio do que ser enganado pela adulação dos insensatos." (Eclesiastes, 7:5.)

"A lisonja é moeda falsa, que embolsamos por vaidade."

La Rochefoucauld

A RÃ E O BOI

Ser o que se é

É necessário apreciarmos o que somos. Quando sentimos inveja, supervalorizamos a figura do outro e subestimamos tudo que temos e conquistamos. É preciso ser o que se é. Nem colocarmos as criaturas num pedestal, nem nos rebaixarmos à condição de capachos.

Hammed

A rã e o boi

Uma rã vê um boi que lhe parece muito belo por causa do seu porte avantajado.

Ao se ver tão pequena, pois o seu tamanho correspondia ao de um ovo, a rã, invejosa, começa a alargar-se, a inchar-se e a esforçar-se para igualar-se em grandeza física ao boi.

E, dirigindo-se a outra rã, perguntou-lhe:

– Olhe bem, minha irmã! Já aumentei o bastante?

– Absolutamente não – respondeu a companheira.

– E agora? – insiste a invejosa. – Já estou parecida com ele?

– De maneira alguma – confirmou a outra.

A rã estufou mais um pouco e perguntou novamente:

– E agora, então? Como estou?

– Você nem sequer chega perto dele.

A rã idiota inchou-se tanto que estourou.

O mundo está cheio de pessoas insatisfeitas.

Todo burguês quer construir um palácio.

Qualquer principezinho tem embaixadores.

Todo marquês quer ter pajens como o rei os tem.

Ser o que se é

Invejar o outro é reconhecer ou declarar abertamente ser inferior a ele. A inveja evidencia a mediocridade; o invejoso não suporta os atributos, condições e qualidades alheias.

Há inúmeras expressões metafóricas utilizadas quando nos referimos a esse sentimento: roer-se de inveja, a inveja dói, contaminado pela febre da inveja, cego de inveja, a inveja queima ou envenena. Socialmente, existem muitas "rãs" que se arrebentam de inveja.

A inveja não está necessariamente associada a um objeto. Sua característica principal é a comparação desfavorável do *status* de uma pessoa em relação à outra. O invejoso sempre acha que o culpado pelo seu negativo estado de espírito é o sucesso do outro, e nunca ele mesmo.

É necessário apreciarmos o que somos. Quando sentimos inveja, supervalorizamos a figura do outro e subestimamos tudo que temos e conquistamos. É preciso ser o que se é. Nem colocarmos as criaturas num pedestal, nem nos rebaixarmos à condição de capachos.

Devemos ficar atentos à sensação de inveja, porque ela nos indica uma vocação inconsciente, um desejo reprimido.

A criatura invejosa ignora seu potencial, priorizando o crescimento alheio no lugar do próprio crescimento. Invejar não é somente querer ter o que o outro possui; é também tentar impedir que ele não tenha aquilo que conquistou.

A literatura psicanalítica diz que o sentimento de inferioridade existente na intimidade do invejoso é uma manifestação de conflito entre o "eu real" e o "eu ideal", entre o que a criatura é e o que ela gostaria de ser; entre o que a criatura faz ou sente e o que ela pensa que deveria fazer ou sentir.

Inveja é uma tendência de privar o outro daquilo que lhe dá prazer. É querer destruir em outrem o que ele tem de bom porque nós não temos igual.

Podemos transformar a inveja em admiração. É muito benéfico e útil a nós mesmos essa mudança. Em vez de cobiçarmos o outro pelo que ele é, tentemos encará-lo como uma meta ou padrão a ser seguido.

No complexo de inferioridade, há um reconhecimento de fraqueza e inadequação, pois as pessoas que se sentem inferiores geralmente partem para uma busca inglória, uma postura competitiva interminável. Tentam eliminar esses sentimentos desagradáveis mostrando superioridade, sem medir esforços ou custos emocionais.

"O mundo está cheio de pessoas insatisfeitas. Todo burguês quer construir um palácio. Qualquer principezinho tem embaixadores. Todo marquês quer ter pajens como o rei os tem."

Certas "rãs" na vida social, por sentimento de inferioridade, quase sempre reagem diante do mundo exterior com atitudes de superioridade, acreditando serem "prima-donas" ou, no mínimo, pessoas portadoras dos melhores critérios de avaliação.

A inveja tende a produzir em nós a rebeldia. Pode ser entendida como um inconformismo à lei natural, como uma suposição falsa sobre nossa condição pessoal, como a impressão infundada de nos considerarmos "seres muito especiais", em vez de percebermos que podemos e devemos compartilhar com todos a diversidade existencial. É essa compreensão que nos proporcionará bons relacionamentos, sensação de completude e bem-estar.

Conceitos-chave

Aceitação

"Aceitação não é adaptar-se a um modo conformista e triste de como tudo vem acontecendo, nem suportar e permitir qualquer tipo de desrespeito à nossa pessoa; antes, é ter a habilidade necessária para admitir realidades, avaliar acontecimentos e promover mudanças (...)." (do livro "Renovando Atitudes", pág. 133, ditado por Hammed – Boa Nova Editora)

Complexo de inferioridade

A raiz do complexo de inferioridade é o vazio existencial que sentimos quando não somos aceitos pelos outros. Por isso, damos a mãos alheias o poder de decidir nossos caminhos e renunciamos inconscientemente à nossa capacidade natural de conduzir a própria vida.

Rebeldia

O rebelde está insatisfeito com o *status quo* e, por não saber como mudar o mundo íntimo, quer a todo custo mudar o mundo externo. Rebeldia sem direção, na melhor das hipóteses, é energia desperdiçada; na pior, pode tornar-se uma força autodestrutiva e socialmente perigosa.

Moral da história

Muitas vezes, esquecemo-nos de que a fonte para suprir as nossas necessidades está em nós, não nos outros. Cada criatura possui em si um continente de potenciais por descobrir. Feliz daquele que age como um desbravador da própria alma. Todo ser vivo tem suas peculiaridades; aceitá-las é prova de sabedoria. Nós somos absolutamente sós no mundo. Construímos e prosseguimos de modo contínuo, elaborando a cada nova encarnação um capítulo do livro de nossa existência. Só temos como referência as próprias experiências, ou seja, o acúmulo de nossos conhecimentos do presente e do pretérito. Na verdade, nós não podemos copiar do outro uma forma certa de viver, porque somente temos a nós como bússola. Tudo o que fazemos, falamos e pensamos está revestido de nossas interpretações, clareadas sob o ponto de vista das vivências pessoais. Cada vida é única e extraordinariamente incomparável.

Reflexões sobre esta fábula e o Evangelho

"(...) Haverá maiores tormentos que aqueles causados pela inveja e o ciúme? Para o invejoso e o ciumento não há repouso; estão perpetuamente em febre; o que eles não têm e o que os outros possuem lhes causam insônia; os sucessos dos seus rivais lhes dão vertigem (...)." (ESE, cap. V, item 23, Boa Nova Editora)

"O coração tranqüilo é a vida da carne; a inveja, porém, é a podridão dos ossos." (Provérbios, 14:30.)

"Nossa inveja dura sempre mais que a felicidade daqueles que invejamos."

La Rochefoucauld

O LOBO E O CACHORRO

Ajustar as velas do barco...

"Muitos de nós desconhecemos o verdadeiro significado da liberdade, dádiva concedida ao indivíduo de poder exprimir-se, responsavelmente, de acordo com a sua vontade, consciência e natureza. (...) A propósito, é bom lembrar que 'viver solto' é completamente diferente de 'viver livre'."

Hammed

A FÁBULA

O lobo e o cachorro

Um lobo, que era magro de dar dó, pois boa vida não lhe davam os cães de guarda, certo dia encontra um desses animais, tão gordo e tão forte que era de fazer inveja.

O cão, que estava perdido, pois se distanciou dos donos enquanto eles passeavam, em vez de atacar o lobo, deu-lhe um pedaço da carne que trazia.

O lobo come com prazer, mas, temendo que o cão o atacasse, como os outros cachorros que tentavam se aproveitar de sua fraqueza, dirigiu-lhe a palavra humildemente e fez um elogio, dizendo-lhe que admirava sua robustez e que gostaria de ficar como ele.

O cão explicou-lhe: – Se quer ser bonito e gordo como eu, deixe o bosque e me acompanhe. Seus semelhantes são miseráveis, pobres diabos sem opção, cuja única condição é morrer de fome. Venha comigo e você terá um destino melhor.

O lobo perguntou: – O que será necessário fazer?

E o cachorro respondeu: – Quase nada. É mesmo pouca coisa: basta afugentar os que portam cacetes, ou vêm mendigar; defender a todos os da casa, e ao dono com agrados receber. Em troca da caça que você conseguir, as pessoas lhe darão moradia, carnes – quem sabe, até lombo, restos de ossos de peru, perdiz, frango e pombos... Isso sem falar de muitas carícias. Venha comigo. Você irá sentir prazer em ter um senhor.

O lobo, já antevendo tamanha felicidade, chora de emoção e decide acompanhar o cão de guarda. Percorrendo o caminho que o levaria à fartura e aos bons tratos, ele vê algo que lhe pareceu suspeito no pescoço do cachorro e pergunta:

– Que é isso em seu pescoço, amigo?

– Nada...

– Mas como nada? E essa pelada?

– Essa é a marca da coleira que põem em meu pescoço quando fico preso.

– Coleira? Preso? – indaga o lobo algo surpreso. – Não se pode sair quando se queira?

– Nem sempre, e importa?

– Claro! Isso tem muita importância. Eu nunca trocaria por qualquer iguaria a liberdade. De todas as suas refeições eu não quero nenhuma. O preço que eu teria que pagar por elas é muito alto.

Dizendo isso, o senhor lobo desaparece por entre o verde do bosque e vai caçar.

Ajustar as velas do barço...

A criatura independente e que goza de certa autonomia está apta à auto-realização, porque age, pensa, vê e sente por si mesma. Por sinal, quase sempre hostilizamos aqueles que são realmente livres, porque eles abalam nossos conceitos de vida alienada e enfadonha.

O ser liberto se auto-realiza, porque cria e produz a partir do seu plano ou projeto íntimo; conhece e vivencia a atualidade, no próprio tempo e/ou espaço, de tal modo que o âmago é quem sempre guia e orienta, conduz e ilumina a todo momento.

A pessoa livre é segura, por isso não necessita de inúmeros conselheiros, das crenças impostas, das idéias e ideais dos que se autodenominam porta-vozes do povo. Quando nos deixamos levar pelo "canto da sereia", perdemos o contato com Deus em nós.

Eis aqui uma maneira de ser livre: não ser escravo da opinião ou julgamento da massa comum, não se iludir com as aparências exteriores ou promessas espetaculares e viver o máximo possível os fatos reais, respeitando o tempo de cada conquista e reconhecendo em cada pessoa o grau evolutivo que lhe é devido.

Todos nós queremos a liberdade. Não obstante, vivemos amarrados e totalmente encarcerados por uma infinidade de ditadores externos e internos.

A liberdade não é alguma coisa que se adquire e que se dê por encerrada. Não é algo que se conquista de uma só vez, e sim uma tarefa permanente, algo que se constrói e que se deve elaborar dia após dia.

Só a possuem pessoas corajosas, as que conseguiram romper os grilhões que, diariamente, a vida em sociedade lança sobre nossas mentes.

Apenas é livre a criatura que não dá ouvidos às vozes da esclerosada opinião social. Precisamos, sim, avaliar, ponderar e julgar o que devemos ou não fazer, de acordo com nossas metas e possibilidades, e não com os pareceres alheios.

Muitos de nós desconhecemos o verdadeiro significado da liberdade, dádiva concedida ao indivíduo de poder exprimir-se, responsavelmente, de acordo com a sua vontade, consciência e natureza.

Não raro os homens trazem a *"marca da coleira"*, como o "cão" desta fábula. Vivem alienados, distanciados das realidades que os cercam, ou melhor, sem conhecer ou compreender os impulsos íntimos (fatores sociais, emocionais e culturais), que os levam a agir e viver de forma prescritiva. A propósito, é bom lembrar que "viver solto" é completamente diferente de "viver livre".

Diante dos poucos que auxiliam libertar, há uma multidão dos que tendem aprisionar.

Se nós verdadeiramente queremos auxiliar os que amamos a serem livres, concedemos-lhes autonomia e independência tal como preservamos para nós a capacidade de nos autogovernar. No entanto é bom lembrarmos de que somente Deus faz tudo para todos.

Jamais devemos ser conduzidos por padrões estereotipados. É fato alienante estar com a mente cheia de conhecimentos dos outros e não adquiridos por nós. Aprendendo a pensar por nós mesmos, experimentamos a liberdade.

Conceitos-chave

Alienação

É o estado doentio de um indivíduo que perdeu o contato consigo mesmo e com o que acontece em seu derredor. As pessoas alienadas carecem de si mesmas e se tornam sua própria negação. Existem coisas que não basta tê-las aprendido só pelas vias do intelecto; para assimilá-las realmente, é necessário utilizar as vias intuitivas da própria alma.

Projeto íntimo

Desejo vocacional nada tem a ver com a ansiedade de ter uma profissão que garanta bens sociais, monetários e muito prestígio. Na realidade, desejo vocacional ou projeto íntimo são a mesma coisa. O termo vocação tem abrangência bem maior do que se pensa e alcance metafísico que abarca o acúmulo de conhecimentos que o espírito armazenou ao longo das diversas encarnações. Quem persiste em seu projeto íntimo não se queixa da ventania, nem espera que ela passe; simplesmente ajusta as velas do barco da própria existência.

Normativo

Aquilo que não permite contestação ou contradição; que serve de norma absoluta; que estabelece padrões de comportamento perfeito.

Moral da história

Quem age segundo o ponto de vista dos outros está muito longe de ser um homem livre. De todos os bens que o homem possa ter, o mais valioso é a liberdade. Não há utilidade, conveniência nem prazeres que compensem o seu sacrifício. A liberdade é tão-somente a capacidade de viver com as conseqüências dos próprios atos e atitudes. Não podemos mensurar a liberdade de ninguém, pois todos nós ainda não sabemos o que é ser livre de verdade. Liberdade em si não consiste em viver simplesmente livre de grilhões e sem controle, mas, sim, em ser o próprio mediador na contenção dos ímpetos, na avaliação das ações, no limite dos anseios e na moderação das emoções. Podemos ser livres sem ferir a nós e aos outros. Na realidade, ao descartarmos o "livro das convenções" teremos mais alegria e dádiva sem violar os direitos naturais que regem todos os seres humanos.

Reflexões sobre esta fábula e o Evangelho

"(...) A máxima: Fora da caridade não há salvação é a consagração do princípio da igualdade diante de Deus e da liberdade de consciência; com esta máxima por regra, todos os homens são irmãos, e qualquer que seja a sua maneira de adorar a Deus, eles se estendem às mãos e oram uns pelos outros. (...)" (ESE, Cap XV, item 8, Boa Nova Editora)

"Ora, o Senhor é o Espírito; e onde está o Espírito do Senhor aí há liberdade." (II Corintios, 3:17.)

"Não desejaríamos as coisas com ardor se soubéssemos perfeitamente o que desejamos."

La Rochefoucauld

OS DOIS ALFORJES

O que está por dentro é lançado fora

As mentiras que mais nos causam danos e nos impedem o crescimento espiritual não são tanto as que verbalizamos, mas as que contamos inconscientemente para nós, aquelas que projetamos.

Hammed

Os dois alforjes

Um dia, Júpiter convocou todos os animais para comparecerem diante dele, a fim de que, comparando-se com os outros, cada animal reconhecesse o próprio defeito ou a própria limitação. Assim, Júpiter poderia corrigir as imperfeições.

E os animais, um a um, elogiavam a si próprios, gabavam-se de suas qualidades e só relatavam os defeitos alheios. O macaco, ao ser questionado se estava feliz com seu aspecto, respondeu:

– Mas claro que sim! Cabeça, tronco e membros, eu os tenho perfeitos. Em mim, praticamente, não acho defeitos. É pena que nem todo o mundo seja assim... – Os ursos, por exemplo, que deselegantes!

O urso veio em seguida, mas não se queixou de seu aspecto físico, até se gabou de seu porte. Fez críticas aos elefantes: orelhas demasiadamente grandes; caudas insignificantes. Animais grandalhões, sem graça e sem beleza.

Já o elefante pensa o oposto e se acha encantador; porém, a natureza exagerou, para o seu gosto, quanto à gordura da baleia.

A formiga, ao falar da larva, franze o rosto: – Que pequenez mais triste e feia!

Assim são os homens. É como se lhes tivessem colocado dois alforjes[1]: no peito, o alforje com os males alheios, e nas costas, o alforje com os próprios males. De tal modo que eles são cegos quanto aos próprios defeitos, mas enxergam com nitidez os defeitos dos outros.

---

[1] *Alforje: – duplo saco, ligado por uma faixa no meio (por onde se dobra), formando duas bolsas iguais; usado ao ombro ou no lombo nos animais, de forma que um lado fique oposto ao outro.*

O que está por dentro é lançado fora

Uma forma de evitar claramente que sensações, pensamentos, impulsos ou lembranças cheguem ao nosso consciente tem o nome de transferência ou projeção.

Projetar nossas ações e emoções nos outros, agindo como se elas não nos pertencessem, e recusar nosso mundo íntimo, não aceitando as coisas em nós como elas realmente são, pode se tornar um constante "acessório psicológico", um processo preferencial do ego.

O método para projetarmos nossa vida íntima em outra pessoa funciona de certa forma em duas etapas: negação e deslocamento.

Primeiro, um fato ou acontecimento que provoca um sentimento inadequado é negado, bloqueado do consciente e deslocado para o mundo externo. Tomemos por exemplo: um indivíduo que num determinado momento da vida teve um desentendimento com uma pessoa e desenvolveu um sentimento de antipatia e aversão por ela pode, posteriormente, julgar que superou as diferenças e que aquele episódio é uma "página virada". No entanto, ele não consegue perceber que sua emoção pode ter sido inconscientemente projetada sob forma de uma suposta antipatia e aversão dessa pessoa por ele. O que estava dentro foi jogado para fora.

Uma vez que é atribuida a outras criaturas, a sensação de aversão é notada como completamente alheia, não nos pertence, não nos diz respeito. É, simplesmente, de outrem; jamais nossa. Nós somos bons e perdoamos, mas os outros são maus, rancorosos e não perdoam.

"Assim são os homens. É como se lhes tivessem colocado dois alforjes: no peito, o alforje com os males alheios, e nas costas, o alforje com os próprios males. De tal modo que eles são cegos quanto aos próprios defeitos, mas enxergam com nitidez os defeitos dos outros."

É comum encontrar no dia-a-dia indivíduos que apresentam comportamento idêntico. Ao invés de se dedicarem à tarefa de conscientização da própria vida íntima, evidenciam o argueiro no olho do vizinho e, por conseqüência, potencializam a trave que lhes obscurece a visão do mundo interior.

As mentiras que mais nos causam danos e nos impedem o crescimento espiritual não são tanto as que verbalizamos, mas as que contamos inconscientemente para nós, aquelas que projetamos.

Vivemos ilusões quando desfiguramos a realidade de nossa experiência ou a verdade de nosso ser e adotamos um "papel" que não corresponde à verdade. Apresentamos aqui o que em linguagem informal denominamos "máscaras": são elas que turvam nossa verdadeira realidade interior; é delas que nos servimos para lançar fora o que está em nossa intimidade.

Projetamos e interpretamos papéis quando nossas reivindicações internas não são admitidas, ou são contrárias àquelas que estão sendo solicitadas pelo mundo externo.

Projetamos e interpretamos "scripts" quando nossas exigências pulsionais (processos psíquicos fortemente emocionais, impulsivos e basicamente irracionais) entram em choque com as regras e normas sociais, passando do campo da consciência para o da inconsciência.

Representamos como se fôssemos verdadeiros atores, interpretando uma personagem no palco ou no cinema, quando nos colocamos diante de alguém como sendo mais do que somos; quando dissimulamos um amor ou um desinteresse que não sentimos; quando nos mostramos alegres, e na realidade estamos tristes; quando aparentamos uma frieza que não experimentamos; quando escondemos e mantemos em segredo tudo aquilo que mais queremos e desejamos; quando aderimos a associações de caráter recreativo, cultural, artístico, religioso, político, social, etc., para obter benesses que não merecemos, recebendo elogios e reconhecimento.

O crescimento pessoal exige, acima de tudo, coerência, o que significa que o Si-mesmo (Self em inglês) deve estar numa relação harmônica entre o que se sente e o que se vive; deve haver uma identidade ou semelhança entre as partes de um todo.

Por que falsificamos nossa realidade? Afinal, o que conseguimos com isso? Danificamos nossa própria intimidade e atravessamos toda uma existência com a angustiante sensação de sermos impostores ou farsantes. Além disso, vivemos aprisionados à angústia e ao medo de um dia descobrirem quem realmente somos.

O alvorecer do despertar manifesta-se no ser amadurecido quando a luz da consciência ilumina não apenas as áreas externas, mas, acima de tudo, as internas. Muitos indivíduos se satisfazem apenas por possuírem os olhos físicos, que lhes oferecem uma visão parcial ou incompleta da vida. Mas para vermos as coisas tais como são, é preciso desenvolvermos a acuidade do olho que esclarece, ilumina e guia – aquele voltado para o mundo íntimo. A partir daí, cessamos de projetar de forma contínua.

Como todos os nossos companheiros de viagem transcendental, desejamos preencher ou compensar o vazio existencial que sentimos por não vivermos a essencialidade de nosso ser.

"(...) Deus suprirá todas as suas necessidades de acordo com as riquezas de sua glória..."[2]

Nossos anseios de ser e de possuir alguma coisa são, no fundo, a compensação da falta de não termos quase nenhuma consciência do que somos e nem para que fomos criados.

[2] *Filipenses 4: 19.*

Conceitos-chave

Negação

É a recusa de aceitar as coisas como são. Na negação, embora os fatos e as circunstâncias não estejam completamente apagados do consciente, como acontece na repressão, eles estão recolocados de tal forma que distorcem ou encobrem a realidade.

Deslocamento

É o mecanismo psicológico de defesa através do qual a pessoa substitui a finalidade inicial de uma pulsão por outra diferente e socialmente menos desastrosa. Durante uma discussão, por exemplo, a pessoa tem um forte impulso em esmurrar a outra; contudo, acaba deslocando tal ímpeto para uma garrafa, que ela quebra sobre a mesa. Também pode ser qualificado como uma idéia ou vivência que são trazidas simbolicamente na mente por uma outra idéia ou vivência que estejam emocionalmente associadas. Por exemplo: uma criatura que teve uma experiência amorosa desagradável com alguém no passado reage, no presente, com desprezo ou aversão por todos aqueles que se aproximam dela afetivamente.

Si-Mesmo

Sustenta Carl Jung que trazemos em nosso íntimo um arquétipo principal, que ele denominou Si-mesmo. Segundo as teorias junguianas, "o Si-mesmo não é apenas o centro, mas também toda a circunferência que contém em si tanto o consciente quanto o inconsciente". Jung afirmava que o *Self* preside a todo o governo psíquico, é uma autoridade suprema e é considerado a unificação, a reconciliação, o equilíbrio dinâmico, um fator interno de orientação do mais alto valor.

Moral da história

Sempre que distinguimos alguma coisa fora de nós e a reprovamos em demasia como sendo perniciosa, perigosa, pervertida, imoral, e assim por diante, é provavel que ela represente conteúdos existentes em nós mesmos, sem que os reconheçamos como possíveis características nossas. A ameaça é tratada como se fosse uma força externa, e não interna. Se afirmarmos categoricamente "todos são desonestos", estamos, na verdade, tentando projetar nos outros nossas próprias tendências. Ou então, ao dizermos "tudo gira em torno de uma só coisa: sexo", podemos estar direcionando nossa disposição interna nas demais criaturas, por estarmos pessoalmente insatisfeitos. Muitas vezes dizemos "é inexplicável como aquela pessoa não gosta de mim", quando, na realidade, somos nós que não gostamos dela, sem nos darmos conta.

Reflexões sobre esta fábula e o Evangelho

"Um dos defeitos da Humanidade é ver o mal de outrem antes de ver o que está em nós. Para se julgar a si mesmo, seria preciso poder se olhar num espelho, transportar-se, de alguma sorte, para fora de si e se considerar como uma outra pessoa, em se perguntando: Que pensaria eu se visse alguém fazendo o que faço?" (ESE, cap X, item 10, Boa Nova Editora)

"Hipócrita! tira primeiro a trave do teu olho; e então verás bem para tirar o argueiro do olho do teu irmão." (Mateus, 7:5.)

"Deploramos com facilidade os defeitos alheios, mas raramento nos servimos deles para corrigir os nossos."

La Rochefoucauld

A ANDORINHA E OS OUTROS PÁSSAROS

Nem tudo que se olha é o que se quer ver

Elegemos lugares, atividades e amizades, selecionamos idéias, desejos, intenções de fazer ou não algo, a sós ou em conjunto com outras pessoas. Por meio da análise de nossas escolhas do presente, poderemos deduzir os comprometimentos ou implicações no futuro.

Hammed

A FÁBULA

A andorinha e os outros pássaros

Uma andorinha bem viajada muito aprendeu por onde andou: quem muito viu tem muita lembrança guardada. Acabou se diferenciando dos outros pássaros: tinha uma sabedoria que os outros não tinham e desenvolvera a capacidade de prever os perigos, por menores que fossem.

Um dia, ao ver o camponês semear o cânhamo, ela sentiu o perigo que ameaçava os pássaros. Reuniu todos e os alertou sobre a ameaça que pairava sobre eles: as máquinas, as armadilhas, os homens querendo matá-los ou aprisioná-los em gaiolas.

Os pássaros zombaram dela dizendo que era nos campos que encontravam os alimentos.

Quando as sementes brotaram, novamente a andorinha experiente aconselhou-os:

– Arranquem broto por broto do que o maldito grão produziu, ou pagarão caro pela sua ignorância.

Os pássaros não acreditaram nas palavras da andorinha e chamaram-na, zombeteiramente, de profetisa do azar, de língua sem trave. Mas a sábia andorinha insistia:

– Colocarão armadilhas e vocês serão presos, pois, diferentemente dos patos e das outras espécies que migram, vocês não têm condições de procurar outros mundos. Não fiquem confusos, às tontas: recolham-se aos ninhos, ou mudem de clima. Façam como as cegonhas: no final das contas, fujam pelo alto, por cima. Não tentem caminhos incertos: escondam-se nalguma brecha da parede.

Os pequenos pássaros ouviam sem nada entender, assim como os troianos ouvindo a sibila prever o triste final que os aguardava.

Dito e feito: um número enorme de aves o homem encarcerou.

Só se escuta o que se acha mais conforme, e só se crê no mal quando ele já chegou.

Nem tudo que se olha é o que se quer ver

Desatenção seletiva é um mecanismo psicológico do ego através do qual utilizamos a percepção como um método de defesa e, dito de modo simples, significa que nós só vemos o que queremos ver. Todos os fatores e resultados de um fato ou acontecimento que não podemos suportar ou admitir, ou seja, tudo que possa desestruturar nossa auto-estima ou ser inadmissível ao nosso modo de sentir ou pensar é desviado de nossa atenção.

São funções da atenção: atenção seletiva – o indivíduo escolhe prestar atenção a alguns estímulos e ignorar outros; vigilância – alerta e concentrado, ele espera detectar o aparecimento de algo ou de algum estímulo específico; sondagem – a criatura procura, metódica e ativamente, descobrir algo por meio de exame e observação minuciosos.

Todo ato de entender ou perceber o significado de alguma coisa nos leva a um processo de "atenção seletiva" e/ou "desatenção seletiva". Não obstante, na desatenção seletiva nem todo elemento ou informação da realidade é objeto de percepção, ou melhor, "nem tudo o que se olha é o que se quer ou se pode ver".

A atenção é o fenômeno pelo qual processamos uma certa quantidade de informações. No entanto, muitos desses processamentos acontecem sem nosso conhecimento consciente.

Os pássaros não acreditaram nas palavras da andorinha e chamaram-na, zombeteiramente, de profetisa do azar, de língua sem trave. Tal qual os "pássaros" desta fábula, são muitos os homens que, por imprudência, são punidos por desprezarem a própria capacidade de intuição e discernimento. Falta-lhes concentração, atenção para si mesmos e para a vida – são dispersivos. Tratam com escárnio e descaso os que conseguem ver e ir mais além. São imaturos e se comportam como crianças.

Dizem pais e professores que, na infância, as crianças prestam atenção em tudo, mas parecem não escutar ou "estar voando" quando o assunto não lhes interessa ou quando são repreendidos. Da mesma forma, são estes "homens": sustentam sua atenção somente para algo imediatista, vivem a seu bel-prazer, agem em função do que oferece vantagem rápida, sem considerar as conseqüências futuras. Podemos atribuir a eles esta frase: *"Só se escuta o que se acha mais conforme, e só se crê no mal quando ele já chegou."*

Existem expressões interessantes alusivas ao modo de nos expressarmos no que tange à escolha e às combinações da palavra "atenção": chamar atenção, dar ou prestar atenção, em atenção a, atenção, olhe!, atenção flutuante. Muitas vezes uma ou duas palavras dão mais sentido e significação ao que se quer dizer ou mostrar do que frases imensas.

A atenção é "bússola" que determina a direção que nossos atos e atitudes vão tomar. Ela estrutura a orientação seletiva de nossa maneira de pensar, de julgar, de imaginar e de formar opiniões e pontos de vista diante da vida.

São atributos da atenção: monitorar nossas interações com o ambiente; interligar nosso passado (memórias) e nosso presente (sensação); controlar e planejar nossas futuras ações com base nas informações armazenadas pelos dois atributos anteriores.

Devemos escolher com cuidado para onde estamos direcionando nossa atenção. Nossa existência é constituída por nossas ínfimas atenções do dia-a-dia e, por conseqüência, o somatório delas é que determina nossas escolhas.

Elegemos lugares, atividades e amizades, selecionamos idéias, desejos, intenções de fazer ou não algo, a sós ou em conjunto com outras pessoas. Por meio da análise de nossas escolhas do presente, poderemos deduzir os comprometimentos ou implicações no futuro. Elas sempre nos darão enorme leque de opções, tanto que podemos lançar nosso olhar sobre os obstáculos, e vê-los como oportunidades a serem vencidas; sobre os conflitos, e distingui-los como superação de dificuldades emocionais; sobre os sofrimentos, e percebê-los como valiosos objetos de distinção ou determinação dos limites que estabelecem, onde começam e terminam nossos excessos e carências.

A seleção consciencioso de atividades, situações ou pessoas às quais dedicaremos nossa atenção é tudo o que diferencia homens e mulheres que usufruem a paz e tranqüilidade de espírito das criaturas desequilibradas e exaustas. Todos nós somos arremessados diariamente a uma miríade de solicitações que, por si mesmas, geram intenso comprometimento pessoal.

Enorme é a tentação de abraçarmos, de modo superficial e insosso, muitas coisas ao mesmo tempo, quando, na verdade, deveríamos dar atenção às coisas de uma forma mais profunda e intensa.

A atenção total com um número reduzido de atividades e pessoas é mais satisfatória e saudável do que uma atenção dividida com muitas delas. A total atenção ao instante presente é tudo o que enriquece nossa vida. Não podemos ser tudo para todos em todos os lugares... mas o importante é termos a consciência de ser alguém em nosso próprio lugar...

Disse Jesus Cristo: "Porque onde estiver o teu tesouro, aí estará também o teu coração"[1]. No propósito de adequar o versículo de Mateus a nossa presente reflexão, poderíamos reescrevê-lo assim: "Porque onde estiver tua atenção, aí estará também o teu coração". A atenção e o coração andam de mãos dadas.

[1] *Mateus, 6:2*

Conceitos-chave

Seleção

A vida humana é um processo de escolhas, prioridades, preferências, adiamentos e outros tantos fatores. Uma escolha pode levar-nos à eliminação ou à concretização de um sonho. Não nos damos conta da imensa dose de livre-arbítrio – ou seja, da maneira de agir, do modo de proceder – que nos é concedida pela Divina Providência. Somos capazes de optar por coisas adequadas que a existência nos oferece, ou nos fixar nas dificuldades que acreditamos ter pela frente. Nos mais diversos tipos de relacionamentos, podemos eleger como trataremos as pessoas e como deixaremos que elas nos tratem; como agiremos, ou como reagiremos ante determinadas situações. Não podemos pôr em dúvida que as escolhas são invariavelmente parte de nosso cotidiano.

Discernimento

É sinônimo de bom senso e considerado a luz que provém da alma. Quem possui semelhante guia interior não se desnorteia nas estradas da existência. Mais que conhecimento racional, o discernimento é uma percepção transcendental que se alicerça nas experiências adquiridas na noite dos tempos. Quem deseja aprender a utilizá-lo jamais deve precipitar-se, concluindo as idéias como absolutas; ao contrário, deve procurar examiná-las de modo relativo, observá-las de todos os ângulos possíveis antes de chegar a qualquer definição ou conclusão.

Focalização

Focar e focalizar são sinônimos. Significam "pôr em foco; salientar; pôr em evidência". Eis a questão: diversificar a atenção ou simplesmente focá-la? É óbvio que a mente emaranhada a uma única idéia pode nos custar um encarceramento dos pensamentos num círculo restrito e vicioso. Quando diversificamos as idéias e não mais focalizamos uma só (seja ela qual for), rompemos a estagnação em que nos encontrávamos e passamos a operar fora das áreas delimitadas pela fixação mental, expandindo os conteúdos mentais no espaço e no tempo.

Moral da história

A ação de fixar a mente em algo requer uma determinada intencionalidade. A nossa atenção impõe um esforço mental para orientar a atividade psíquica em direção a determinado estímulo e mantê-lo dentro do campo perceptivo consciente. No entanto, isso nem sempre acontece, pois, quando ocorre a desatenção seletiva, "simplesmente não notamos ou deixamos escapar uma série enorme de detalhes significativos da nossa vida". Somente acreditamos nas nossas intuições quando o infortúnio já aconteceu. O que a sabedoria previu e poderia amenizar os efeitos de determinadas ações, por negligência deixamos escapar e, por não confiar na fonte sapiencial que há em nós, as ameaças se fazem sempre presentes.

Reflexões sobre esta fábula e o Evangelho

"Deus, em sua misericórdia infinita, colocou, no fundo do vosso coração, uma sentinela vigilante que se chama consciência. Escutai-a; ela não vos dará senão bons conselhos." (ESE, cap XIII, item 10, Boa Nova Editora)

"Quando ele (coxo de nascença) viu que Pedro e João iam entrando no templo, implorou a eles uma esmola. Pedro fitou nele os olhos, como também João, e disse: Olha para nós. Ele os olhou com atenção esperando receber deles alguma coisa. Pedro, porém, disse: Não tenho nem ouro nem prata, mas o que tenho eu te dou: em nome de Jesus Cristo Nazareno, levanta-te e anda!" (Atos, 3:3 a 6.)

"Julgar-se mais esperto que os outros, é a melhor maneira de enganar-se."

La Rochefoucauld

A RAPOSA E AS UVAS

Tornar aceitável o inaceitável

A racionalização é um dispositivo da mente que transforma vontades ou anseios em fatos fictícios supostamente reais. É quando usamos a inteligência para negar a verdade; é um procedimento íntimo que nos torna desonestos com nós próprios.

Hammed

A FÁBULA

A raposa e as uvas

Contam que certa raposa astuta, quase morta de fome, sem eira nem beira, andando à caça de manhã, passou por uma parreira carregada de cachos de uva bem maduros, todos pendentes na grade que oferecia suporte à videira.

Mas eles estavam altos demais e a raposa não podia alcançá-los. De bom grado ela os trituraria, mas sem lhes poder tocar disse:

– Estão verdes... já vi que são azedas e duras. Só os cães podem pegá-las.

E foi embora a raposa, deixando para trás os cachos de uva, madurinhos e doces, prontos para quem por ali passasse e pudesse alcançá-los.

Tornar aceitável o inaceitável

Uma raposa com muita fome sai à caça de alimentos. Por sorte, vê uma parreira carregada de belos cachos de uva maduros. Apressa-se e chega à videira para alcançar as frutas. Todo o impulso interior da raposa está direcionado instintivamente para o ataque repentino.

Inicia-se, então, a movimentação e, depois de várias tentativas, ela não consegue apanhar nem sequer um dos cachos. Reúne-se à fome instintiva uma estranha e nova sensação: a decepção, o desapontamento de não poder atender à sua necessidade básica. As sucessivas investidas são em vão, e uma certa atmosfera de incapacidade começa infundir-se no seu mundo mental.

Nesse determinado momento, a raposa, frustrada, pensa, reflete sobre o seu fracasso. Ela não quer ser considerada um animal falido ou derrotado. A propósito, uma crise existencial provoca mais danos internos do que uma necessidade biológica não atendida.

A princípio, a busca de saciar a fome estava totalmente circunscrita ao "estado físico"; depois, a ocorrência leva a raposa a entrar em contato com um conteúdo agravante e dificultoso que atingirá sua essencialidade. Antes uma façanha extraordinária; agora uma sensação de desestima e rejeição de si mesma. Que futuro a esperava daí em diante?

Ela não podia colocar a razão contradizendo os fatos reais. De agora em diante, estava em jogo a incoerência, a falta de nexo ou de lógica em sua casa íntima.

Mas, quando tudo parecia estar perdido, eis que a raposa põe as cartas na mesa, dá um "xeque-mate" e diz para si mesma: "*Estão verdes... já vi que são azedas e duras. Só os cães podem pegá-las.*" Seu sistema mental precisava adaptar-se diante da frustrante e dura realidade, e daí tirou uma vantagem: fez uma afirmação contrária ao fato real, contou uma mentira para si mesma.

Admirável mentira (racionalização), uma conclusão que não condiz com a realidade, mas salva a estrutura íntima da raposa.

Racionalizar é inventar para nós mesmos uma história falsa. É um procedimento psicológico que permite a negação dos reais motivos, cobrindo as sensações desagradáveis que vivenciamos com justificativas equivalentes ou histórias similares.

Do mesmo modo que a raposa inventou desculpas e álibis convincentes para manter o auto-respeito, nós também, os homens, buscamos "boas razões", ainda que falsas, para nossas atitudes e fracassos; e criamos "explicações" altamente descaracterizadas para justificar nossa frustração.

Muitos racionalizam dizendo que falam mal da vida dos outros porque metade do mundo maldiz a outra metade. Na realidade, o que está subentendido nessa atitude é que gostamos de difamar ou desvalorizar as pessoas, porque quando fazemos isso nós nos sentimos pretensamente melhores, mais eficientes, mais capazes ou superiores perante os outros. Aí está a intencionalidade inconsciente ou não dos maledicentes.

A racionalização é um dispositivo da mente que transforma vontades ou anseios em fatos fictícios supostamente reais. É quando usamos a inteligência para negar a verdade; é um procedimento íntimo que nos torna desonestos com nós próprios. E, se não podemos ser honestos com nós mesmos, com certeza também não podemos ser honestos com nenhum outro indivíduo. Conseqüentemente, há uma ruptura ou violação no caráter da criatura. É uma forma de não expandir a consciência, e sim de desestruturar a individualidade do ser humano.

Conceitos-chave

Frustração

É a sensação de quem estabelece altos padrões e metas existenciais superlativas, mas não está preparado para aceitá-los com serenidade quando os resultados não atingem de imediato o alvo desejado.

Racionalização

É um mecanismo de defesa por meio do qual se utilizam motivos sensatos e racionais para pensamentos e ações inaceitáveis. Esse mesmo processo é o que faz uma pessoa apresentar uma explicação logicamente consistente ou eticamente aceitável para uma atitude, ação ou sentimento que lhe causa sofrimento moral. Disfarça os verdadeiros motivos tornando o inaceitável mais aceitável.

Expansão da consciência

A consciência não exclui nenhuma conquista anterior, pois ela se amplia quando se integram todos os conhecimentos adquiridos para além dos limites conhecidos. Provoca experiências transformadoras, intensas e radicais na criatura, quanto à sua visão de mundo e à sua forma de viver. Ela ocorre em conseqüência de uma decisão do indivíduo e o leva ao crescimento espiritual e ao despertar dos potenciais inconscientes, tais como sabedoria, aptidões, capacidades inatas.

Moral da história

Um julgamento inadequado pode ser uma forma de objetivar e de compensar nossos fracassos. Objetivar é um processo pelo qual o ser humano experimenta uma alienação de real natureza subjetiva, projetando para fora e construindo uma suposta realidade externa. Uma objetivação pode ser salvadora, como a raposa da fábula dizendo para si mesma "estão verdes", quando uvas maduras e apetitosas estavam fora de seu alcance. As objetivações são, portanto, formas que permitem resignificar um fato mediante uma certa afirmação ou conduta que compensa uma frustração. É comum encontrar entre os homens aqueles que, tais qual a raposa, quando não conseguem realizar seus negócios, acusam as circunstâncias, ou mesmo, por não atingirem um intento, tendem a denegri-lo, diminuindo dessa forma a gravidade de seu insucesso.

Reflexões sobre esta fábula e o Evangelho

"Não basta que dos lábios gotejem leite e mel; se o coração nada tem com isso, há hipocrisia. Aquele cuja afabilidade e doçura não são fingidas, nunca se contradiz; é o mesmo diante do mundo e na intimidade; ele sabe, aliás, que, se pode enganar os homens pelas aparências, não pode enganar a Deus." (ESE, cap IX, item 6, Boa Nova Editora)

"Quem pensa ser alguma coisa, não sendo nada, engana-se a si mesmo. Cada um examine o seu procedimento. Então poderá gloriar-se do que lhe pertence e não do que pertence a outro. Pois cada um deve carregar o seu próprio fardo." (Gálatas, 6:3 a 5.)

"O interesse fala toda espécie de língua e faz toda espécie de papel, mesmo o do desinteressado."

La Rochefoucauld

A RAPOSA E A CEGONHA

Vingança imediata

"Para perdoar é necessário acrescentar às coisas novos significados, ou seja, ressignificá-las, compreender uma experiência de forma diferente. Para perdoar é preciso remodelar nossas atitudes, voltar nossa atenção para outro prisma do contexto e perguntar a nós mesmos: 'O que mais isto poderia significar?' "

Hammed

A raposa e a cegonha

A comadre raposa, apesar de mesquinha, tinha lá seus momentos de delicadeza. Num dos tais, convidou sua vizinha cegonha a partilhar da sua mesa.

O banquete foi pequeno e não muito refinado, pois a raposa vivia de maneira econômica. Um caldo ralo servido num prato raso foi oferecido à cegonha, cujo bico, muito duro e comprido, cada vez que tentava tomar a sopa, batia no fundo do prato, e ela nada conseguia beber. A raposa, esperta, aproveitou-se disso e lambeu a sopa toda.

Para se vingar, a cegonha convidou a raposa para jantar.

Na hora marcada, chegou à casa da anfitriã. Esta, com caprichoso afã, pedindo desculpas pelo transtorno, solicitou ajuda para tirar do forno a carne, cujo cheiro enchia o ar.

A raposa, gulosa, espiou o cozido: era carne moída – e a fome a apertar! Sentou-se depressa à mesa, esperando a comida chegar.

Nesse momento, a cegonha entrou na sala e colocou sobre a mesa uma vasilha de gargalo estreito e muito comprido. Lá dentro, estava a carne macia e cheirosa que seria o jantar.

Vocês já perceberam o que aconteceu? A cegonha, com seu bico fino e comprido, conseguiu comer toda a carne, enquanto que a raposa tentava enfiar lá dentro o focinho, sem sucesso. Pobre raposa! Quis dar uma de esperta e só o que conseguiu foi levar de volta sua barriga, roncando de tão vazia. Voltou em jejum para casa, envergonhada, com o rabo no meio das pernas e as orelhas baixas.

La Fontaine diz ao final desta fábula: Embusteiros, é para vocês que eu escrevo; esperem sempre pelo troco. Quem planta, colhe.

Vingança imediata

Conta antiga história que um homem foi condenado pelos cidadãos de sua aldeia a ser jogado no fundo de um poço abandonado e vazio. A população do vilarejo, que tinha sido desrespeitada e ofendida por ele durante muito tempo, decidiu tomar para si o encargo de julgar e punir aquele indivíduo.

Eles o jogaram nessa cisterna e começaram a lançar sobre o sentenciado uma enxurrada de insultos ríspidos, ao mesmo tempo que cuspiam nele. Outros tantos atiravam lama e lixo das ruas. Inesperadamente, surgiu um homem que lhe jogou raivosamente uma pedra.

Profundamente surpreso, ele olhou para cima e perguntou ao agressor: "Eu reconheço todos os outros que me condenam e agridem, mas eu nem te conheço. Quem és tu para pensar que podes atirar pedras em mim?"

O atacante à beira do poço responde: "Sou aquele que arruinaste há vinte anos".

O condenado então perguntou: "Mas onde estiveste todo esse tempo?". "Durante todo esse tempo", retruca o homem, "tenho carregado a pedra em meu coração. Agora que te encontrei, vulnerável e nesta miserável situação, resolvi colocar a pedra em minha mão".

Esta história caracteriza uma "vingança tardia ou retroativa" – são nódoas emocionais ou feridas da alma, mágoas guardadas em segredo durante anos a fio. No entanto, há variados tipos de atitudes vingativas: as empregadas contra os mais fortes são denominadas de loucuras; as lançadas contra os iguais são arriscadas; e as efetuadas contra os mais fracos são de extrema vilania.

Neste conto ocorreu uma "vingança tardia"; já na fábula da raposa e da cegonha aconteceu a "vingança imediata". *A cegonha, com seu bico fino e comprido, conseguiu comer toda a carne, enquanto que a raposa tentava enfiar lá dentro o focinho, sem sucesso. Pobre raposa!*

Provavelmente a cegonha tenha pensado: "Não há maior vingança do que aquela de poder vingar-se". Verdade seja dita: quem não retruca na hora certamente está meditando sobre como vai "dar o troco" ou "revidar o golpe". Cuidado com o homem que não rebate de imediato a afronta ou o ultraje!

Quantas vezes os seres humanos apresentam conduta idêntica à da cegonha e agem com um único objetivo: o revide. E, por conseqüência, não vivem como almejam viver nem se comportam de maneira racional; simplesmente reagem diante dos obstáculos e desafios da vida, utilizando a esperteza, a astúcia ou a armação para tirar desforra ou reparar a afronta que lhes fizeram.

Se uma pequena lasca de madeira, acidentalmente, introduzir-se em nossa pele e nos ferir, qual atitude devemos ter? Obviamente, removê-la o mais rapidamente possível. Por certo não nos convém deixá-la estagnada lá, causando dor e aflição até que infeccione e contamine todo o nosso organismo.

Da mesma maneira, o que é preciso fazer com as farpas venenosas da vingança e da desforra quando se instalarem em nossa casa mental? Deixá-las encravadas e observar a sua contaminação caminhar para um estágio cada vez mais avançado, trazendo um padecer cada vez maior? É claro que não!

Certamente, as farpas da vingança ou revide são mais difíceis de extrair do universo interior do que as farpas de espinho do cosmo orgânico.

Por outro lado, depende unicamente de nós analisá-las e transformá-las, antes que a "toxina do ódio" se dissemine por toda a casa mental. Aliás, nada ocorre fora; não é o mundo externo que se transforma. O que acontece é que, quando mudamos de níveis de consciência, alteramos a concepção sobre os atos e as atitudes que vivenciamos.

O melhor meio de conseguir isso não é se contrapor ou lançar acusações contra algo ou alguém que nos trapaceou ou nos desagradou, mas rever as próprias emoções que gravitam em nossa intimidade, discernindo-as, e, conseqüentemente, tentar vê-las pelo ponto de vista de outrem, por meio da empatia.

Entenda-se por empatia a capacidade de nos identificarmos com outra criatura; de nos tornarmos emocionalmente conscientes e compreensivos com os atos dela, de ponderarmos quais sofrimentos ela carrega na alma. Além disso, procurar saber como aprendeu a agir no meio social, que nível de discernimento possui, qual a sua idade astral e outras tantas considerações.

Empatia envolve sensibilidade para percebermos a emocionalidade que levou o outro a agir daquela forma, para assim, podermos atenuar ou reduzir o "abalo íntimo" que sofremos diante de certas atitudes e atos alheios.

Para perdoar é necessário acrescentar às coisas novos significados, ou seja, ressignificá-las, compreender uma experiência de forma diferente. Para perdoar é preciso remodelar nossas atitudes, voltar nossa atenção para outro prisma do contexto e perguntar a nós mesmos: "O que mais isto poderia significar?"

Esse exercício nos mostra, incontestavelmente, o quanto pode ser valoroso para nossa evolução experenciar, mesmo de forma sucinta, aquilo que o outro viveu. Passaremos a entender com clareza que os indivíduos têm dificuldades semelhantes às nossas, e se nós estivéssemos em sua condição, situação ou posição evolutiva, talvez agíssemos do mesmo jeito. Essa postura de vida nos leva à solidariedade, a relacionamentos saudáveis e a uma convivência de fundo ético.

Conceitos-chave

Ação/Reação

Forças da mesma magnitude, mas opostas. A lei física da ressonância bem explica e elucida o significado da "lei de retorno"; a ressonância verifica-se tanto no sentido positivo como no negativo. O pensamento humano gera forças criativas; é um espelho que estabelece ligações sutis, em circuitos de causa e efeito, refletindo e assimilando os mais diversos tipos de raios mentais.

Mágoa

Nódoas de desgosto que intensificam a infelicidade de modo diretamente proporcional às expectativas que criamos sobre nós e os outros. Se as criaturas não abrirem mão das fantasias e devaneios que nutriram na busca de coisas inacessíveis e impossíveis e continuarem reservando uma área muito grande em sua casa mental para esse desgosto, a mágoa se tornará cada vez maior e mais intensa e ganhará uma importância muito mais significativa do que o fato em si.

Revide

Ato ou efeito de polemizar, rebater, replicar uma crítica ou ofensa, ou também reação imediata e incisiva a um fato ou acontecimento.

A maior vantagem de perdoar é nos eximirmos dos desgastes energéticos e fatigantes do revide, das discussões, da raiva e da crítica. São essas emoções de melindre e ressentimento que, de forma inquestionável, fazem do perdão uma possibilidade benfazeja para qualquer pessoa que deseja viver em paz consigo mesma.

Moral da história

Assim como o fizer, assim o receberá. A vingança não diminui o mal sofrido e ocasiona freqüentemente males ainda maiores. Ela é uma pedra que se volta contra quem a atirou. No entanto, perdoar não significa ser permissível com o comportamento agressivo que viola valores e modos de pensar e agir de uma criatura. Perdoar dessa forma eliminaria uma função positiva, pois estimularia a repetição de atos ultrajantes, perpetuando e potencializando um ciclo perverso de agressões e desrespeito. Perdoar é uma nova forma de ver a vida dentro e fora de nós. É paulatina modificação de nossas opiniões, idéias e conceitos acumulados, arquivados e catalogados tradicionalmente, como relíquias embalsamadas em nosso acervo mental, e que já podem ter perdido seu real significado nos dias atuais.

Reflexões sobre esta fábula e o Evangelho

“Amar seus inimigos, não é, pois, ter para com eles uma afeição que não está na Natureza, porque o contato de um inimigo faz bater o coração de maneira bem diferente do de um amigo; é não ter contra eles nem ódio, nem rancor, nem desejo de vingança (...)” (ESE, cap 12, item 3, Boa Nova Editora)

“(...) Eis que vos envio como ovelhas ao meio de lobos; portanto, sede prudentes como as serpentes e mansos como as pombas.” (Mateus, 10:16.)

"Podemos ser mais astutos que o outro, nunca porém mais que todos os outros."

La Rochefoucauld

O CACHORRO QUE TROCOU SUA PRESA PELO REFLEXO

Ver as coisas tais como são

Auto-ilusão é o processo pelo qual enganamos a nós mesmos, passando a aceitar como verdadeiro ou válido o que é falso ou inválido; é não ver as coisas tais como são. Ela tem como raiz os preconceitos, desejos, insegurança, cobiça, exclusivismo e outros tantos fatores psicológicos que, inconscientemente, afetam o jeito de perceber a realidade.

Hammed

O cachorro que trocou sua presa pelo reflexo

Se os que buscam ilusões forem chamados de loucos, os dementes então são milhões, e os sensatos, muito poucos.

Esopo exemplifica essa falta de nexo com a fábula do cão que trazia nos dentes uma presa, um bom bocado de carne. Debruçando-se sobre um barranco, ele viu, refletida na água, a imagem da própria presa, que ele acreditou ser outra ainda maior do que aquela que ele levava.

Iludido pela imagem, larga a presa e atira-se nas águas correntes em busca da "outra". Como o rio estava muito agitado, ele quase se afoga e, só com muito esforço e sofrimento, alcança a margem. Obviamente, sem a presa e sem o reflexo dela.

Quantos, como o cachorro, arriscam-se por uma ilusão!

Ver as coisas tais como são

A paz e a lucidez começam no íntimo. Já que vivemos num mundo conflituoso e agitado, devemos dedicar algum tempo para orar ou meditar, pois apenas assim encontraremos mais conciliação, concórdia e harmonia em nossa intimidade. Entregarmo-nos a longas e profundas reflexões é essencial para a nossa sanidade mental.

Quando estamos inquietos, desordenados e sem clareza interna, projetamos a agitação que sentimos para o mundo ao nosso derredor. Quando estamos serenos, podemos ver com mais lucidez e agir com capacidade e segurança, atingindo bons resultados nas decisões vivenciais.

A afobação diária não nos permite entrar em contato ativo com nosso "espaço sapiencial"; por isso, em nós não se estabelece ordem e muito menos lucidez na intimidade, onde, aliás, Jesus afirmou estar o "reino dos céus".

A quietude íntima faz com que alcancemos o equilíbrio perfeito para mantermos adequadas relações com as pessoas que encontramos, ou para agirmos convenientemente diante das situações que se sucedem em nosso dia-a-dia. Sem a permanente deterioração causada por ilusões ou desajustes emocionais, teremos mais tempo para diferenciar os fatos das ocorrências ilusórias. Compensados, auto-responsáveis e serenos em nós mesmos, irradiaremos paz para todos aqueles que encontrarmos.

Conta uma antiga história persa que, em certa ocasião, um afortunado negociante buscou seu conselheiro espiritual. Sentia-se deprimido, atribulado, cheio de amargura, pois acreditava estar lucrando pouco com seu comércio.

"– Não sei o que está acontecendo comigo. Tenho tudo o que sempre quis, mas ainda quero mais e mais. Por isso me sinto infeliz.

O conselheiro, que era um homem sábio, olhou-o demoradamente, mas nada lhe disse. Tomou-o pelo braço e pediu que olhasse através dos vidros da janela e descrevesse o que via lá fora.

– Vejo árvores, casas, jardins, fontes, pessoas, crianças distraindo-se com brincadeiras.

O conselheiro então colocou o negociante diante de um espelho.

– E agora o que você vê? – perguntou-lhe.

– Eu vejo a mim mesmo – respondeu ele.

E o sábio retrucou:

– Na verdade, o que agora você vê é seu reflexo no espelho. O vidro espelhado o impede de vislumbrar a realidade, que existe além da sua imagem. A ilusão assemelha-se a um espelho onde vemos unicamente a nós próprios. Em muitas circunstâncias, não enxergamos os fatos como eles são, mas, sim, como aparentam ser. Há muitas coisas que não nos deixam ver a realidade nem o que realmente somos: a ganância, o preconceito, o poder, as homenagens, a preocupação de ganharmos destaque, de nos considerarmos melhores do que os outros... Será que seus negócios e sua desmedida ambição não lhe permitem ver a beleza da vida tal como ela é, com as criações e as criaturas de Deus, pois você apenas tem olhos para si mesmo?"

Assim termina o diálogo entre os dois homens.

Realmente, o espelho possui uma excelente relação de semelhança para conceituarmos a ilusão. A palavra "miragem" vem da palavra francesa "mirage", que significa "ser refletido". É um efeito óptico que ocorre em dias muito quentes, principalmente nos desertos, produzido pela reflexão da luz solar, que cria imagens semelhantes a lagos límpidos, onde por vezes se refletem árvores, plantas ou cidades longínquas.

Metaforicamente, podemos dizer que "miragem" é tudo aquilo que se apresenta como um fato ou evento verdadeiro, mas que, em verdade, é uma irrealidade, ilusão, alucinação, devaneio.

Na vida social, por ambição, "*Quantos, como o cachorro, arriscam-se por uma ilusão!*" E "*Se os que buscam ilusões forem chamados de loucos, os dementes então são milhões, e os sensatos, muito poucos*".

Auto-ilusão é o processo pelo qual enganamos a nós mesmos, passando a aceitar como verdadeiro ou válido o que é falso ou inválido; é não ver as coisas tais como são. Ela tem como raiz os preconceitos, desejos, insegurança, cobiça, exclusivismo e outros tantos fatores psicológicos que, inconscientemente, afetam o jeito de perceber a realidade.

Um exemplo clássico disso é quando pais e/ou cônjuges acreditam que o filho e/ou parceiro afetivo estão falando a verdade, mesmo quando as evidências provam claramente o contrário. Os indivíduos se auto-iludem porque querem sempre acreditar nos entes amados e desejam ansiosamente que estejam dizendo a verdade.

Paulo de Tarso escreveu aos Coríntios: "... para que a grandeza das revelações não me levasse ao orgulho, foi-me dado um espinho na carne, um anjo de Satanás para me esbofetear e me livrar do perigo da vaidade". A Vida Providencial nos restabelece a saúde do corpo e da alma por meio do "espinho da desilusão"[1]. Na verdade, a desilusão, em muitas ocasiões, é o recusro utilizado pela misericórdia Divina para nos afastar de pessoas e situações, a fim de que não nos afundemos ainda mais no poço do desequilíbrio.

Enquanto houver ilusão, há possibilidade de distorção da direção almejada ou desencaminhamento da jornada escolhida. Somente quando grande parte da ilusão já tenha cedido à verdade é que poderá haver estabilidade e segurança no caminho a ser percorrido.

Quando o Mestre disse a seus discípulos que deveriam colocar a luz no candelabro ("Traz-se porventura a candeia para ser colocada debaixo do alqueire ou debaixo da cama? Não é para ser posta no candeeiro?")[2], pro-

---

[1] *II Coríntios, 12:7.*
[2] *Marcos, 4:21.*

punha a todos o serviço da superação do binômio ilusão-desilusão, a fim de que pudessem adquirir uma visão clara e profunda das numerosas relações de dependência entre a vida dentro e fora de nós mesmos.

Ir além dessa ilusão multimilenar que domina os homens é a prioridade da filosofia cristã. Se não atendermos a essa solicitação do Cristo, dificultaremos a marcha, convertendo a própria alma em cidadela de desenganos; seduzidos pelo leito da ilusão, viveremos períodos de confusão ou insânia mental.

Nesse círculo perverso, vive o indivíduo, de forma geral, sob o domínio do pseudo-afago da ignorância, enganando-se na vida terrena, para desenganar-se depois no além-túmulo; gastando várias encarnações, iniciando e reiniciando a meta que lhe cabe transpor, recusando a metafísica, isto é, tudo aquilo que transcende a natureza física das coisas.

O ato de saber quando agir e não-agir, aliado à prática da oração e/ou da meditação, não só oferece harmonia interior e vitalidade, como igualmente nos proporciona, com o correr do tempo, uma ampliação da própria consciência. Leva-nos à prática da verdadeira experiência pela paz e com a paz que tanto buscamos.

Não-agir é seguir a correnteza, em vez de ir contra ela. É uma excelente idéia: um indivíduo nada e chega à margem de um rio muito mais rápido quando, não resistindo ao fluxo da água, permanece tranqüilo e deixa-se conduzir pelas "mãos da natureza". Em outras palavras: confiando na Vida Providencial e moderando nossa pretensão de resolver todos os conflitos e dificuldades de forma puramente racional, poderemos encontrar equilíbrio e alegria sem uma vida desgastante de contínua luta contra forças reais ou ilusórias.

O culto à nossa intimidade deve ser praticado na sucessão de nossos dias como um potencial a ser desenvolvido para promover a clareza de idéias e de expressão, a percepção dos sentimentos e as emoções. Ela está aqui, em nós. Se quisermos, ela pode ser tão familiar quanto é familiar o sono, a respiração, os pensamentos mais estreitos.

Conceitos-chave

Ambição

Abrir a alma à ambição é fechá-la à serenidade, porquanto a ambição que se alimenta é peso inútil ao coração. Cultivá-la é o mesmo que guardar espinhos na própria intimidade. Diz o ditado popular: "Tudo falta a quem tudo quer". Em razão disso, o ganancioso não possui bens, mas é dominado por eles. A ambição produz mais insatisfeitos por não conquistarem as coisas, do que saciados com o que possuem. A cobiça não ouve a razão nem o bom senso; nela, o desejo ardente sempre reaparece quando já deveria ter acabado.

Quietude íntima

A reflexão e a prece proporcionam uma energia sutil em nossas experiências cotidianas. Nesse "estado interior", onde reina a tranqüilidade, o ser tem um encontro consigo mesmo, com sua mais pura essência – a alma. Criaturas distraídas entre os episódios do passado e os do presente turvam sua visão, julgando apressadamente as decisões alheias apenas por divergirem das suas. Como discernir tudo o que nos acontece sem usar o próprio sentido consciencial? É possível avaliar ou ponderar as coisas, utilizando a consciência alheia? É possível perceber a realidade, usando um coração que não nos pertence? Existem fatos emaranhados nos quais a quietude íntima é o único remédio eficaz, porque cada um de nós encontra resposta de acordo com o silêncio que cultivou dentro de si mesmo.

Não-agir

Não significa prostração, ócio, morosidade, indolência, nem viver numa atmosfera do "esperar sentado ou mostrar uma disposição mínima para o trabalho". Essa filosofia de vida descreve uma prática de realizar ou buscar as coisas suavemente, obedecendo ao movimento contínuo de algo que segue um curso natural, sem utilizar ações bruscas e intrusivas. Por exemplo: se observamos a naturalidade e espontaneidade da vida, podemos tomar decisões utilizando a sutileza, em vez da força.

Moral da história

Saber iludir-se bem é uma das muitas lições que recebemos na vida familiar. A título de exemplo, citamos os pais que sempre acreditam nos filhos, mesmo percebendo que suas afirmações são contraditórias ou vazias de verdade. Os pais iludem-se porque são afetados por desejos inconscientes de terem filhos fiéis e perfeitos. Adultos assim são incapazes de auscultar o próprio coração e utilizar a percepção e o discernimento. Em razão disso, familiares apontam defeitos de educação nos filhos alheios, mas demonstram ignorar os defeitos dos próprios filhos. Não obstante, é bom lembrar que a auto-ilusão pode não ser simplesmente uma espécie de desonestidade ou fraqueza moral. Muitas vezes, trata-se de uma questão de "cegueira cognitiva", processo mental de percepção, memória, juízo e/ou raciocínio; ou mesmo de incompetência. Os que buscam ilusões acabam tendo muito sofrimento, pois, quando se deparam com a realidade, censuram-se e incriminam-se, às vezes por anos a fio.

Reflexões sobre esta fábula e o Evangelho

"Os homens correm atrás dos bens terrestres como se os devessem guardar para sempre; mas aqui não há mais ilusão; eles se apercebem logo de que não agarraram senão uma sombra, e negligenciaram os únicos bens sólidos e duráveis, os únicos que lhes são de proveito na morada celeste, os únicos que podem a ela lhes dar acesso." (ESE, cap. II, item 8, Boa Nova Editora)

"...Nada trouxemos para este mundo e manifesto é que nada podemos levar dele..." (I Timóteo, 6:7.)

"Nossas ações são como os motes (provérbios): cada um entende como quer."

La Rochefoucauld

O MOLEIRO, O MENINO E O BURRO

Agradar a gregos e troianos

A gênese do insucesso é a "atitude de querer agradar a todos". Essa postura mental resulta da crença fundamentada na perfeição e pode nos levar diretamente à decepção, à adversidade e ao revés.

Hammed

A FÁBULA

O moleiro, o menino e o burro

Na Grécia antiga, originou-se este apólogo contado por Malherbe, poeta invulgar, a Racan, também poeta, quando este lhe pediu sugestão sobre uma decisão a respeito da vida.

Perguntou Racan a quem deveria ele satisfazer: deveria ele satisfazer às suas vontades, satisfazer às vontades da corte ou às do povo?

Malherbe pensou um pouco e disse:
– Não sei se é prudente contentar toda a gente. Eis um conto que poderá ajudá-lo a encontrar a resposta:

Um velho moleiro e seu filho, que já tinha os seus quinze anos, foram vender seu burro, um dia, no mercado.

O moleiro e seu filho levavam o animal e, a fim de não cansá-lo e alcançarem bom preço, resolveram conduzi-lo, desde o começo, com as patas amarradas e presas num varal carregado pelos dois.

O primeiro que os viu quase morreu de rir. O moleiro, então, colocou o animal no chão, mandou seu filho montar e continuou andando. Nisso, passaram três comerciantes e, horrorizados com a cena, comentaram:

– Onde já se viu? O rapaz, robusto, montado no burro, e o velho, a pé.

O moleiro, então, pediu que o filho descesse e cedesse o lugar para ele. Passaram três moças e uma delas disse:

– Que falta de vergonha! O marmanjo vai sentado como um rei e o pobre menino a pé.

O moleiro, embora soubesse que sua idade permitia que ele seguisse montado, colocou o filho na garupa e continuou o seu caminho.

Nem bem o burro deu trinta passos, passou um outro grupo e um deles comentou:

A FÁBULA

– Vocês não têm dó do seu animal doméstico? Como podem sobrecarregar assim o pobre burrico? Se vão vendê-lo na feira, ele vai chegar lá no puro osso!

– Por Deus – diz o moleiro –, sofre da moleira quem quer agradar a gregos e troianos!

E mais uma vez o moleiro procurou agradar ao caminhante. Os dois desceram do burro e seguiram pela estrada: o burro na frente e eles atrás. Alguém os viu e fez chacota:

– Dois burros andando, enquanto o outro trota!

Quem tem cão não precisa ir à caça com gato; quem tem burro não gasta a sola do sapato.Que queiram ir a pé é natural. Então, para que trazer o animal? Belo trio de burros!

Pensou o moleiro:

– Certamente, como um burro eu agi, mas daqui para frente farei como achar bom, sem escutar ninguém.

E assim ele fez.

Quanto a vós, quer sigais Marte,
o amor ou o rei,

Quer fiqueis na província ou sejais viajante,

Quer prefirais casar ou vos tornar abade:

Todos hão de falar, falar, falar...

Agradar a gregos e troianos

O extraordinário filósofo e psicólogo William James escreveu: "Quando você precisa tomar uma decisão e não a toma, está tomando a decisão de nada fazer".

Ele se fascinava mais com a atenção em si mesma do que com os objetos aos quais se presta atenção. Por isso, acreditamos que a forma mais apropriada de nos levar ao êxito é possuirmos uma predisposição interna firmada na frase: "Devo parar de escutar simplesmente o que as pessoas dizem; só presto atenção no porquê elas dizem".

As decisões bem-sucedidas têm como procedência as experiências adquiridas. E estas têm como raiz as decisões malsucedidas.

A gênese do insucesso é a "atitude de querer agradar a todos". Essa postura mental resulta da crença fundamentada na perfeição e pode nos levar diretamente à decepção, à adversidade e ao revés.

Os esquemas mentais dos que "querem agradar a todos" são "paradigmatizados", isto é, foram edificados em exemplos supostamente perfeitos, que devem moldar condutas e padrões impecáveis. Entretanto, são esses mesmos paradigmas que devem ser contestados, pois eles são suscetíveis a pontos de vista diferentes, juízos relativos e às mais diversas controvérsias.

Muitas pessoas passam várias horas do dia preocupadas em manter condutas uniformizadas, temerosas da reprovação ou pouco-caso dos outros. Improvisam situações e diálogos para atrair a aprovação alheia, e muitas, apesar de todo o desempenho e desgaste energético, nunca conseguem satisfazer a nada nem a ninguém.

É bem verdade que precisamos ser acolhidos pelo calor humano, pela estima das pessoas que respeitamos e pelo apreço dos que nos são importantes; caso contrário, nossa auto-estima corre sério perigo de desmoronar. Entretanto, precisamos lembrar que somos nós mesmos que criamos a "cor e o grau" de nossas lentes e, a partir daí, passamos a enxergar a realidade com a "tonalidade" ou com a "vista curta", ou melhor, com pouca ou nenhuma lucidez para perceber e entender os fatos e acontecimentos que nos rodeiam.

A estrutura mental das criaturas obstinadas em "fazer as coisas para agradar a tudo e a todos" caracteriza-se pelo dualismo e pelo culto à linearidade. Não percebem que ordem e desordem, construção e destruição, harmonia e desarmonia, convivem juntas e que a mesma criatura é amada e odiada. As cores escuras dão às claras um valor cromático, e assim sucessivamente.

Esses indivíduos buscam compreender a condição humana dividindo-a em dois princípios antagônicos, dessemelhantes e hierárquicos. Desejam racionalizar sentimentos e emoções, "eclesiastizar" a vida como se pudessem separá-la de tudo, codificando-a como se fosse uma instituição ou sistema, segundo a visão deles.

Viver de forma hierárquica é se conduzir acreditando que a existência humana funciona à base de uma escala de valores, de grandeza ou de importância, onde criações e criaturas devem se sujeitar uns aos outros.

O conservadorismo hierarquista (culto à hierarquia) mantém certas doutrinas elitistas que conceberam a existência de seres superiores e seres inferiores, e que os primeiros estão naturalmente destinados a mandar e os segundos, a obedecer. Pode significar mais especificamente graduação das diferentes categorias de membros de uma organização, instituição ou religião.

Quantas vezes os homens agem de modo semelhante ao do moleiro, imaginando que poderão satisfazer a todos e não se dando conta da impossibilidade de concretizarem tal façanha! A fábula ilustra um preceito que demonstra a necessidade de acreditarmos em nosso julgamento interno e que, independentemente do que façamos, sempre haverá alguém que discordará de nossa ação ou conduta.

Concluímos que cabe só a nós desenvolver a própria existência, vivenciando os acertos e desacertos que as experiências da vida nos oferecem como aprendizado, e determinar o que é melhor e correto para nossa vida.

Conceitos-chave

Hierarquia

Do grego *hieros* (sagrado) + arquia (comando, autoridade). O mesmo que governo sagrado. O termo hierarquia eclesiástica designa, na religião católica, o suposto poder dado por Cristo aos apóstolos para formarem e governarem a Igreja. Atualmente, entende-se por hierarquia qualquer sistema onde a distribuição do poder é desigual, através de um sistema de graus ou linhas de comando em ordem de valores e importância (as pessoas não usufruem as mesmas vantagens, benefícios e direitos).

Aprovação

O ato de aprovar não significa simplesmente o de aplaudir as atitudes inadequadas ou condutas infelizes das pessoas; significa unicamente respeitá-las, aceitar a alteridade, a distinção, a natureza ou a condição do que elas são, sem viver desesperadamente uma existência inteira tentando modificá-las, custe o que custar. Ao aceitarmos as pessoas como são, e não como gostaríamos que fossem, deixamos de despender uma energia imensa para moldá-las ao nosso bel-prazer e, então, poderemos redirecionar essa mesma energia para discernirmos e compreendermos a alteridade que há em tudo. Agindo assim, vamos construir relacionamentos mais saudáveis e felizes.

Coerência existencial

É a habilidade de distinguir os valores éticos e estéticos para formar uma opinião pessoal não influenciada pela razão comum, preconceitos, egocentrismo e influências sociais. É a capacidade de não adotar como verdade absoluta o ponto de vista da maioria, e sim, construir o próprio julgamento sobre as coisas através da reflexão e avaliação de evidências. O pensador crítico levanta dúvidas sobre aquilo em que habitualmente se acredita e não aceita passivamente as idéias dos outros. Está habituado a fazer reflexões, por isso sabe que suas idéias não são fatos e que podem ser questionadas. Ele valoriza a lógica e a observação cuidadosa porque deseja compreender melhor a realidade.

Moral da história

Enfim, não se pode agradar a todos, mas uma coisa é certa: ao tomarmos decisões, ou recuamos diante da crítica e começamos tudo de novo, ou desobrigamo-nos abertamente da aprovação alheia e seguimos em frente, compreenda quem quiser compreender, doa a quem doer. É impossível contentar a todos. Se fizermos ou deixarmos de fazer, sempre existirá alguém que fará uso de ironia e de expressões de duplo sentido, ou seja, utilizará as "cantigas de escárnio e maldizer"[1], cujo objeto da sátira será sempre a pessoa que se queira difamar.

Reflexões sobre esta fábula e o Evangelho

"(...) é preciso, numa palavra, colocar-se acima da Humanidade, para renunciar à satisfação que proporciona o testemunho dos homens e esperar a aprovação de Deus. Aquele que estima a aprovação dos homens mais do que a de Deus prova que tem mais fé nos homens do que em Deus (...)" (ESE, cap. 13, Item 3, Boa Nova Editora)

"É, porventura, o favor dos homens que eu procuro, ou o de Deus? Por acaso tenho interesse em agradar aos homens? Se quisesse ainda agradar aos homens, não seria servo de Cristo." (Gálatas, 1:10.)

[1] *As cantigas de escárnio e maldizer são um gênero de poesia da Idade Média. Fazem parte do período literário chamado Trovadorismo. A principal característica dessas cantigas é a crítica ou sátira dirigida a uma pessoa real, que era alguém próximo ou do mesmo círculo social do trovador. Apresentam grande interesse histórico, pois são verdadeiros relatos dos costumes e vícios, principalmente da corte, mas também dos próprios jograis e menestréis. – Nota da editora.*

"Para nos instalarmos no mundo, fazemos o possível para nele parecermos bem instalados."

La Rochefoucauld

A GATA METAMORFOSEADA EM MULHER

Foi o que foi, é o que é, será o que será

Os espíritos sábios não ficam se lastimando quando as pessoas não são como eles gostariam que fossem. Simplesmente, distinguem o que está fora de suas possibilidades, o que é qüididade, o que podem ou não podem mudar e, quando preciso, declaram com firmeza: "é assim, assim seja". Isso é tudo, pronto.

Hammed

A gata metamorfoseada em mulher

Uma gata mimosa, bela e delicada, era, para seu dono, a coisa mais amada que havia neste mundo.

E o homem, desvairado e inconseqüente, amava perdidamente essa gata além dos limites do que é normal. Um dia ergueu os braços ao céu e, em prece, implorando aos deuses auxílio, fez promessas, orações e magias. Tanto fez até que conseguiu dos deuses que aquele felino se transformasse em mulher: uma dama lindíssima, uma bela mulher, como convinha a todo homem.

Cego de amor, casou-se com ela. Homem apaixonado, marido carinhoso, ele a adulava, embevecido pela beleza daquela, cuja origem felina ele havia esquecido completamente. Para o homem, ela era uma mulher igual a todas as outras.

Numa noite, porém, alguns camundongos entraram no quarto conjugal. A mulher sentiu a presença deles e, seguindo seus instintos de gata, começou a caçá-los. Arqueada e ofegante, ela se atirou sobre os ratos, que escapam por um triz.

Ela não conseguiu da primeira vez, mas, na noite seguinte, com os sentidos mais aguçados pela experiência da véspera, assim que os camundongos apareceram, saltou do leito e, em posição felina, arremessou-se sobre eles e os apanhou.

Depois de conservar por muito tempo um licor, o vaso continua a guardar seu odor. Não perde o pano a antiga dobra, por mais que se tente esticá-lo: passado um tempo, ele a recobra.

O natural não sofre abalo quando escondido. Só descansa. Subitamente, entra na dança, e não há como refreá-lo, nem a bastão, espada ou lança. Fecha-se a porta com tramela, e ei-lo que sai pela janela.

Foi o que foi, é o que é, será o que será

Em última análise, é a vocação que induz uma pessoa a escolher seu próprio caminho e elevar-se acima da identificação com as massas inconscientes, sem se deixar levar pelas influencias psíquicas destas.

A vocação, na criatura humana, emerge como uma sutil nuvem de neblina envolvendo todo o espírito, ou melhor, vem à tona mental trazendo uma idéia potencial ou sentimento inato, que significa, num sentido original, "ouvir uma voz que nos é dirigida". Ela é uma manifestação inerente e comum a todos, não sendo decerto prerrogativa somente de grandes personalidades ou celebridades.

Um exemplo que elucida com mais clareza a vocação como um projeto íntimo encontra-se na expressão qüididade. Numa interpretação mais livre, essa expressão quer dizer "é assim mesmo", "as coisas são como são", mas sem a conotação de estagnação, conformismo ou passividade, e sim como afirmação da realidade essencial e natural das coisas.

Ao indagarmos sobre o que é algo, seria o mesmo que perguntar, em latim escolástico, pela *quiddita*, termo do qual provém a palavra qüididade.

Qüididade, segundo as tradições filosóficas, é aquilo que faz com que "a coisa seja o que ela é". Na herança cultural grega, qüididade se traduz pela expressão "*tó ti en einai*" – frase largamente usada por Aristóteles em seus escritos e manuscritos metafísicos quando se referia a "ousia", conceito aristotélico de "substância essencial".

Quando um indivíduo não se conforma com o modo de ser de uma pessoa ou de uma situação qualquer, ele pode recorrer também a esse termo (qüididade) para dizer "o que é", "é natural que seja assim".

Semelhantes ao dono da gata, existem muitos homens que querem mudar a qualquer preço a natureza das coisas. Esquecem-se de que cada ser dá o que possui, vive da maneira que quer, compreende a vida do jeito que a percebe.

Ao tratar de vocações, tendências e disposições inatas, todos temos características e necessidades próprias de "ser como somos" e de "estar onde e com quem quisermos", seja na vida pessoal, seja na social.

Vocações são padrões inerentes ou naturais não aprendidos, de conduta e desempenho adquiridos na vastidão dos tempos. Nosso progresso na Terra, desde antropóides nus até especialistas vestidos, deu aos seres humanos um conjunto específico de ferramentas emocionais e/ou intelectuais, úteis e produtivas, para que todos possamos nos complementar e trabalhar unidos na comunidade planetária.

Cada criatura deve auscultar a verdade que está em seu âmago, pois é aí que habita a fonte sapiencial que nos leva a viver em paz com a nossa natureza e, igualmente, com a dos outros.

Há vários modos de percebermos a vida em nós. São inúmeras as vezes em que olhamos para fora, e raras as que voltamos os olhos para dentro. Devemos estar voltados para nosso interior, mas sem subestimar nosso exterior. Se aquietarmos nossos pensamentos o bastante para entrarmos em contato com nossas características inatas, entenderemos com mais clareza as "qualidades distintivas" ou os "traços dominantes" dos seres e das coisas: "*Depois de conservar por muito tempo um licor, o vaso continua a guardar seu odor. Não perde o pano a antiga dobra, por mais que se tente esticá-lo: passa-*

do um tempo, ele a recobra. O natural não sofre abalo quando escondido. Só descansa. Subitamente, entra na dança, e não há como refreá-lo, nem a bastão, espada ou lança. Fecha-se a porta com tramela, e ei-lo que sai pela janela".

As orações dos grandes sábios afirmam no final: "que assim seja!", ou mesmo, "assim é!". Não existe diferença entre essas duas frases.

Os emissários celestes não ficam pensando como as coisas poderiam ou deveriam ser. Eles têm o conhecimento de que para certas coisas somos impotentes, e tomam para si esta verdade.

Sabem que podemos lapidar o diamante, não mudar sua propriedade íntima; que somos capazes de entalhar a madeira, não transformar sua natureza orgânica; estão convencidos de que podemos esculpir o mármore, não reformar sua estrutura interna. Aliás, aprimorar ou aperfeiçoar é diferente de alterar ou descaracterizar a essência de algo ou de alguém.

Os espíritos sábios não ficam se lastimando quando as pessoas não são como eles gostariam que fossem. Simplesmente, distinguem o que está fora de suas possibilidades, o que é qüiditativo, o que podem ou não podem mudar e, quando preciso, declaram com firmeza: "é assim, assim seja". Isso é tudo, pronto.

Conhecendo as leis naturais ou divinas que regem a vida como um todo, acompanham o fluxo de suas transformações, deixam-se levar de forma intuitiva por meio do curso dos fatos e acontecimentos, sem jamais compelir tentando modificá-los caprichosamente.

Não é correto dizer "que as faculdades instintivas diminuem à medida que crescem as faculdades intelectuais"."(...) o instinto existe sempre, mas o homem o negligencia. O instinto pode também conduzir ao bem; ele nos guia quase sempre e, algumas vezes, com mais segurança que a razão. Ele não se transvia nunca".[1]

Por analogia, as expressões instinto, essência inata, tendência qüididativa, natureza fundamental, são termos que se correspondem perfeitamente.

---

[1]*Questão 75 de "O Livro dos Espíritos", Boa Nova Editora.*

Quando não percebemos a Natureza em toda a sua imensa biodiversidade de criações e criaturas – uma verdadeira "vitrina" de multiplicidade de seres diferentes –, não alcançamos a realidade da vida íntima e aí podemos ser corrompidos por caprichos, preconceitos, expectativas, obstinações e devaneios.

Jamais devemos permitir que os delírios alheios nos induzam a um modo de viver que não condiz com nossos reais atributos naturais ou motivações internas; nem que eles criem em nós "scripts" de como deveríamos ser e como nos comportar; nem mesmo do que falaríamos para essa ou aquela pessoa, nesta ou naquela situação.

Tudo que existe ou possa vir a existir tem sua própria natureza, sua própria qualidade intrínseca. Não é possível mudar a realidade externa simplesmente por acreditarmos nisso ou naquilo, por preconceitos, caprichos, vontades ou prazeres pessoais.

Como na fábula, não conseguiremos jamais transformar gatos em seres humanos, nem anular ou exterminar nossa índole – conjunto de qualidades e características inerentes a todas as criaturas –, porque simplesmente não conseguimos deixar de viver a normalidade da condição humana.

Nós, os homens, convivemos presos a regras "desnaturadas", pois estamos vivendo distanciados da condição "natural" a que fomos chamados a viver; não cumprimos os desígnios divinos da Natureza da qual fazemos parte na atual encarnação. Por sinal, na Natureza (interna e externa) estão as mãos sutis do Criador agindo em toda parte. "Seja feita a vossa vontade, assim na terra como no céu" – disse Jesus.

Conceitos-chave

Qüididade

Provém do latim escolástico *quidditas*, que, por sua vez, tem origem na expressão latina "*quid est*", que quer dizer "o que é". Assim sendo, qüididade significa essência, cerne, âmago, o objeto primordial. A mesma coisa que substância íntima, centro, fundamento inerente, imo, base, atributo natural, óbvio, "evidente", "tendência nata".

Ousia

Do latim eclesiastíco ousia/oussia; substância essencial, em português, fundamento primeiro das coisas, de que tudo o mais decorre. Pronuncia-se "ussía" e quer dizer mais especificamente "o que é por si mesmo", isto é, "o que não pode ser tirado". O atributo essencial é imprescindível, porque é aquilo que está numa coisa e que, por conseqüência, se não estivesse, a coisa não seria. É bom lembrar que a palavra "essência" provém do latim, idioma posterior ao grego. Dizem os tradutores e estudiosos da Filosofia que, por falta de uma expressão que pudesse traduzir literalmente a palavra ousia, a tradição se fixou nos termos "essência" ou em seu equivalente, "qüididade".

Natureza

A Divindade não pode ser identificada de forma literal, como fiscal, censor ou imperador militar do Universo, e não pode, igualmente, ser reconhecida como imagem de um soberano partidário, que rege a Natureza externamente. O Criador busca atingir uma união com as criaturas e as criações. Todos os seres são fundamentalmente inseparáveis da essência do Ser Maior, do qual muitas vezes os indivíduos se sentem separados apenas por sua percepção equivocada. Na tradição judaico-cristã, o Criador deu origem ao Universo, mas é algo separado dele; no entanto, Ele nunca está separado da Natureza e de tudo o que existe. As leis que regem o Cosmos podem ser chamadas de "Divina Providência", porém elas são simplesmente o outro nome de Deus.

Moral da história

Eis uma lição extraordinária que nos quer mostrar La Fontaine: é difícil impor nossas regras e normas à Natureza, ou melhor, mudar nossa essência desferindo "golpes verbais ou emocionais". E por mais que façamos para dominar nossos impulsos, ei-los que surgem inesperada e imperceptivelmente. Embora tomemos todas as precauções possíveis para amordaçá-los, basta uma só oportunidade favorável para eles voltarem à tona. O que é inato, natural e instintivo não se elimina, equilibra-se. Se reprimido, ele descansa, some aparentemente. E quando o julgamos eliminando, ei-lo que surge, imponente e soberano, como se nunca dali tivesse se ausentado.

Reflexões sobre esta fábula e o Evangelho

"O Espiritismo é de ordem divina, uma vez que repousa sobre as próprias leis da Natureza, e crede que tudo o que é de ordem divina tem um objetivo grande e útil (...)". (ESE, cap I, item 10, Boa Nova Editora)

"Eis como deveis rezar: Pai nosso, que estais no céu, santificado seja o vosso nome; venha a nós o vosso Reino; seja feita a vossa vontade, assim na terra como no céu." (Mateus, 6:9 e 10.)

"É mais fácil ser sensato com os outros do que ser consigo mesmo."

La Rochefoucauld

O LEÃO APAIXONADO

Não moram mais em si mesmos

"Ao abdicarmos do elemento mais vital do amor – a dignidade pessoal –, perdemos o comando do próprio mundo afetuoso. Aliás, quando não somos fiéis a nós mesmos, o relacionamento afetivo, em vez de nos fortalecer, fragiliza.(...) Ficam com a intimidade estilhaçada, não moram mais em si mesmos."

Hammed

A FÁBULA

O leão apaixonado

A marquesa de Sévigné[1] era de uma beleza rara. E estava tão acostumada a ser cortejada, que o fato de até um leão apaixonar-se por ela não era de estranhar.

No tempo em que os animais falavam, era comum que eles ambicionassem fazer parte do convívio humano. Afinal, tal qual os humanos, eles também tinham inteligência, força, coragem e até se comunicavam usando o mesmo código dos homens.

Foi nessa época que o leão apaixonou-se pela bela senhorita Sévigné e, sem demora, pediu-a em casamento.

O pai da jovem assustou-se. Ele queria para a filha um marido um pouco menos terrível, mas temia que uma recusa pudesse apressar um casamento clandestino. Com sua experiência, ele sabia que o fruto proibido tem sempre um paladar melhor.

Resolveu então aceitar a proposta do leão e disse a ele:

– Agrada-me a idéia de tê-lo como genro, mas preocupa-me o fato de que você machucará o corpo delicado de minha filha com suas garras, e, ao beijá-la, os seus dentes impedirão que ela lhe corresponda com prazer.

E o leão apaixonado permitiu que lhe cortassem as garras e lhe lixassem os dentes.

Sem garras e sem dentes, sua fortaleza foi destruída e um bando de cães o atacou, sem que ele conseguisse se defender.

Ah! A paixão! Feliz daquele que escapa dos seus ardis!

[1]*La Fontaine, nesta fábula, faz uma homenagem à beleza da* **marquesa de Sévigné**, *Marie de Rabutin-Chantal (5 de fevereiro de 1626 – 17 de abril de 1696), escritora francesa cujas cartas são modelo do gênero epistolar.*

Não moram mais em si mesmos

Dignidade é uma qualidade íntima que inspira limite, respeito, consideração e estima. É a consciência do autovalor, da prudência e do próprio apreço; modo de alguém que se conduz levando em conta seu reino interior; sentimento de respeito que se tem por si mesmo. Etimologicamente, dignidade provém do latim "dignitas, atis", quer dizer, merecimento, valor, nobreza.

Assim como o leão apaixonado, quantos homens existem na sociedade que se comportam no amor da mesma forma, "*sem garras e sem dentes...*", isto é, renunciando à autodignidade... Ficam com a intimidade estilhaçada, não moram mais em si mesmos.

Quando permitimos que nos "cortem as garras e lixem os dentes", destruímos nossa "fortaleza interna" e cometemos um erro extremamente grave: entregamos o controle de nossa vida à outra criatura. Ao abdicarmos do elemento mais vital do amor – a dignidade pessoal –, perdemos o comando do próprio mundo afetuoso. Aliás, quando não somos fiéis a nós mesmos, o relacionamento afetivo, em vez de nos fortalecer, fragiliza.

Nos envolvimentos amorosos, qualquer que seja o tipo de amor, enfrentamos problemas complexos que nos fazem sentir fracos e inseguros, incapazes de agir. Às vezes ficamos limitados como se fôssemos crianças e nos recolhemos na condição de vítimas, cerceando assim nossa possibilidade de amadurecer emocionalmente. São as nossas "fragilidades", os pontos vulneráveis de nossa intimidade. De fato, eles são a porta de entrada para tudo que nos atinge ou fere nossa imagem idealizada. Por exemplo: se não soubermos lidar com a crítica, nós a veremos somente como algo negativo. Mas, se formos criticados e mantivermos a tranqüilidade, tentando analisar a ocorrência com imparcialidade, como se estivéssemos vendo o cenário a distância, poderemos descobrir por que certos problemas se repetem em nossa vida. A partir disso, encontraremos a solução, pois fomos em busca da causa, não ficando presos aos efeitos.

Em muitas ocasiões, perdemos nosso valor como pessoa, dissimulamos a verdade e afirmamos ser verdadeiro aquilo que é falso, por possuirmos a enganosa convicção de que temos que nos anular para sermos um excelente objeto de amor.

Nossa alegria de viver se fundamenta em grande parte no senso de dignidade. Se sentirmos um vazio existencial e uma aura de insatisfação invadindo nossa vida, tal fato não deverá ser motivo de espanto ou indignação, pois nós mesmos permitimos que isso acontecesse. Colocamos em plano secundário nosso poder pessoal – a dignidade – e nos transformamos numa pessoa inconsistente, num "nada", em conseqüência – pior de tudo – de nossa autodesvalorização.

Cultivamos a mentalidade ilusória de que, para sermos muito queridos, devemos resolver os conflitos dos seres amados, manter tudo na mais perfeita ordem, deixando todos felizes o tempo todo; mas é bom lembrarmo-nos de que essa postura se opõe à razão e ao bom senso. Mesmo que ela fosse possível, seria uma façanha equivocada e certamente difícil de ser cumprida.

Acreditamos que ser fiel aos próprios princípios ou inclinações naturais pode gerar uma gama imensa de dificuldades e tememos que, sendo autênticos, estaremos expostos ao abandono, à rejeição e ao desprezo.

Muitos de nós carregamos desde a infância certa inquietação ou relutância para expressarmos nossos verdadeiros sentimentos afetivos. Qual o tipo de mensagem familiar que ainda ecoa em nossa casa mental?

"Se você me disser alguma coisa que eu não quero ouvir, ou me contar algo vergonhoso, eu o castigarei e nunca mais falarei com você." Essa advertência severa que recebemos quando crianças, por termos sido honestos quanto aos nossos sentimentos, pode ter deixado marcas indeléveis em nosso inconsciente.

A suposta vantagem de não revelar o que se passa em nosso íntimo se deve à crença de que, dessa forma, conseguiremos um escudo protetor, impedindo que as pessoas usem essas informações para nos repelir, magoar ou abandonar.

Uma desvantagem, contudo, é o fato de que manter uma barreira entre nós e os outros nos impedirá de desfrutarmos relações saudáveis, sinceras e de confiança mútua. Sem nos deixarmos conhecer verdadeiramente, podemos ficar excessivamente vulneráveis a possíveis abusos , e a pouco-caso, passando a viver isoladamente e evitando todo mundo.

A medida certa para quem ama é não temer, é mostrar ao outro o que sente, como pensa e age. Ao nos portarmos dessa forma, supomos ter perdido muito quanto à aparência externa ou à consideração alheia, mas teremos lucrado muitas vezes mais em força interior, segurança, firmeza e respeitabilidade. Para que possamos ter relacionamentos agradáveis e gratificantes com os outros, é necessário primeiro que nos sintamos à vontade com nós mesmos.

Esta fábula tão antiga revela que, apesar da passagem dos séculos, ainda vivemos uma maneira neurótica de amar e de ser amado, e que as dificuldades no campo da afetividade continuam as mesmas.

Quando a paixão nos envolver, precisamos impor limites, não dizer adeus à prudência e jamais perder a dignidade, seja pelo motivo que for ou por quem quer que seja. "*Ah! A paixão! Feliz daquele que escapa dos seus ardis!*"

Conceitos-chave

Vazio existencial

É o vazio espiritual, é o vazio na vida. Quem somos? A que viemos? Para onde vamos? Todos desejamos intensamente encontrar um sentido para a vida e ficamos felizes quando constatamos que estamos a caminho dele, que vamos encontrar as respostas. Várias pesquisas comprovam que a falta de significado para a vida, a sensação de vazio e o desconhecimento da razão existencial são os mais angustiantes sentimentos do homem moderno. A maioria de nós é prisioneira da dimensão física; ainda somos conduzidos pelo aspecto psíquico-afetivo, mas, na dimensão do espírito, somos inteiros, completos, jamais vazios. Nós não apenas existimos, mas exercemos influência sobre nossas vidas. Ignorar a dimensão transcendental é reducionismo. A origem da sensação de mal-estar, de incômodo e de insatisfação está na falta de algo que desconhecemos e na crença de que a vida está desprovida de significado.

Limites

Em vez de permitir que alguém nos use e que vá além do razoável, magoando-nos de forma constante, estabeleçamos limites e aprendamos a legitimar nossa dignidade pessoal. É preciso desenvolver a arte de amar a si mesmo, para que se possa amar melhor os outros, pois, em se tratando do campo do sentimento, urge a necessidade de delimitar fronteiras e de jamais anular a própria identidade. Imolar-se em nome do amor, sendo massacrado emocionalmente por alguém simplesmente para manter um relacionamento destrutivo, é sinal de que se está amando a pessoa errada e de forma errada. Amar não significa sofrer.

Fragilidade

Quando encaramos de forma tranqüila a sensação de fragilidade que nos invade de tempos em tempos, é porque nos conscientizamos de que ela faz parte da condição humana. Quando a admitimos em nossa constituição íntima, não temos mais a pretensão de sermos invulneráveis e fortes em todas as circunstâncias da vida. Só aceitando nossa fragilidade é que encontraremos estabilidade interior. Encarar os pontos fracos não é se conformar com eles, mas mapeá-los e discernir a razão que os motivou. Alimentar a idéia de que somos super-homens é sustentar uma personalidade doentia. Nenhum ser humano é assim. Não precisamos nos mostrar "durões" e "formidáveis" o todo tempo. Isso é utopia.

Moral da história

Quando estamos apaixonados por alguém, no primeiro momento, vivemos um estado de satisfação altamente gratificante. O sentimento pode se tornar tão forte que o resto do mundo perde o significado. Nossa existência passa a ter um novo sentido porque percebemos que alguém precisa de nós e nos faz sentir especial, além de provocarmos igualmente as mesmas sensações no outro, o que faz com que os dois se sintam completos. Ficamos viciados na outra pessoa, que age sobre nós como uma droga. De início, perdemos a própria dignidade pessoal em troca desta viciação que nos traz sensações prazerosas. Mas diante de uma possibilidade qualquer, ainda que remota, de que ela não esteja mais ali, ao nosso inteiro dispor, podemos chegar ao desespero, ao ciúme e às incriminações. E tentamos manipulá-la através de chantagem emocional que, no fundo, nada mais é que o medo da perda. Onde é que está a paixão agora? Será que ela pode passar de um estado a outro em minutos? Será que era amor real ou um vício, uma dependência? A paixão e a prudência, quase sempre, andam separadas, são incompatíveis. Quando a paixão se aproxima, a precaução se afasta. A fábula mostra que o homem que se priva daquilo que lhe proporciona a autovalorização ou a autodignidade torna-se frágil presa e fica exposto ao fracasso diante daqueles que antes o respeitavam.

Reflexões sobre esta fábula e o Evangelho

"...É, pois, evidente, que o homem é o autor da maior parte das suas aflições, e que delas se pouparia se agisse sempre com sabedoria e prudência." (ESE, cap. 27, item 12.)

"... a sabedoria vale mais que as pérolas e jóia alguma a pode igualar. Eu, a sabedoria, sou amiga da prudência, possuo uma ciência profunda." (Provérbios, 8:11 e 12.)

"O poder que têm sobre nós as pessoas que amamos é quase sempre maior que o que temos sobre nós mesmos."

La Rochefoucauld

A COBRA E A LIMA

A traça não rói

Os bens espirituais que adquirimos são de posse definitiva; portanto, ninguém dá ou tira o valor dos outros. É imprescindível não esquecermos que quem fez por merecer recolhe a felicidade de ver multiplicado tudo aquilo que conquistou.

Hammed

A cobra e a lima

Conta-se que uma cobra vivia vizinha de uma relojoaria. Um dia ela entrou na oficina atrás de alguma sobra, mas de comida, ali, nem cheiro. Nada encontrando para satisfazer a sua fome e, com o apetite redobrado ao ver uma lima, se põe a roê-la.

A lima então lhe diz:

– Que pretendes fazer, pobre infeliz? Não vês que sou feita de aço? E que, antes de me prejudicar, você está prejudicando a si mesma? Não percebes que não terás dentes para usar, e eu continuarei intacta, pois não conseguirás tirar de meu corpo o menor pedaço? A mim nada causa contratempo. Os únicos dentes que podem me afetar são os dentes do tempo!

Esta história se endereça a vós que só sabeis criticar, nada mais. A tudo e a todos mordeis, imprimindo a marca ultrajante de vossos dentes, mesmo sobre as obras-primas.

Será que podeis roer essas "limas"? Não se esqueçam: elas são de aço, bronze e diamante!

A traça não rói

Os bens espirituais que adquirimos são de posse definitiva; portanto, ninguém dá ou tira o valor dos outros. É imprescindível não esquecermos que quem fez por merecer recolhe a felicidade de ver multiplicado tudo aquilo que conquistou.

Aquele que realmente alcançou ou obteve a posse dos dons da criatividade, da expressão, da lucidez, da compaixão, da liberdade, da naturalidade, da alegria, do desapego e de outras tantos valores universais, é como o homem que ajuntou "tesouros no céu, onde nem a traça nem a ferrugem os consomem, e onde os ladrões não minam nem roubam". [1]

Assim como a cobra desta fábula, muitas pessoas acreditam que podem desabonar (roer) a vida de outrem, caluniando-os ou difamando-os com afirmações falsas e desonrosas a seu respeito.

Certas criaturas, como o réptil, *"Nada encontrando para satisfazer a sua fome e, com o apetite redobrado ao ver uma lima, se põe a roê-la."*, esquecem-se de que existem homens *"aço, bronze e diamante"*.

Quem adquiriu os "bens imortais" não os perde, mas as "cobras sociais"

---

[1]*Mateus, 6:20.*

que tentam corromper a vida alheia não conseguem escutar as advertências da "consistência da lima": "*Não vês que não terás dentes para usar, e eu continuarei intacta, pois não conseguirás tirar de meu corpo o menor pedaço?*"

Infelizmente, muitos pais supervalorizam seus filhos desde pequenos, dizendo que tudo podem, inclusive "roer lima", e, quando estes crescem, sentem-se superiores. Esse sentimento envolve cada ato e atitude deles, que, de modo inconsciente, consideram-se elevados ao mais alto grau. Em vista disso, disparam recriminações, espalhando-as largamente sobre tudo e sobre todos.

Criticam porque almejam que os outros os aceitem e, "sem querer", acabam por permitir que todo mundo interfira em sua vida. Julgam, criticam e censuram, potencializando o sofrimento auto-imposto por se sentirem absolutos e incomparáveis. No fundo, todo superior se sente inferior e, conseqüentemente, recrimina os outros para chamar atenção para si mesmo.

Diante da crítica mordaz precisamos deixar a "chuva do silêncio" apagar o "incêndio da malidicência" provocado pela incompreensão e imtolerância de muitas criaturas desavisadas.

O complexo de superioridade gera uma sensação íntima de extremos opostos – de competência e de insuficiência, de extrema habilidade e de total incapacidade. Assim, tais indivíduos apresentam oscilações sistemáticas de comportamento para enfrentar a vida e seus problemas. Sentem-se incongruentes para se relacionar e profundamente inadequados diante de todos, pois, quanto mais se "elevam", mais se sentem diminuídos. Algo indefinido para eles ocupa seu espaço interno.

Ultimamente tornou-se comum o uso da expressão "complexo de superioridade" para indicar um sentimento de vaidade excessiva que não deve ser confundido com o sentimento de origem traumática ou anormal. Pode-se dizer que, em maior ou menor intensidade, todos nós já nos sentimos pretensamente melhores, mais eficientes, mais capazes que os outros.

Na atualidade, não existe o que poderíamos chamar de comunidade planetária: uma comunidade de caráter cósmico ou universal transcende os limites tradicionalistas e retrógrados em que vivemos. O que há são simplesmente grupos de pessoas críticas e receosas, sem vontade própria e facilmente manipuláveis.

Os indivíduos se reúnem numa espécie de "rebanho" ou "massa inconsciente", porque têm medo e, por medo, refugiam-se entre os seus supostos semelhantes.

Há "massas" de operários, de empresários, de religiosos, de cientistas, de filósofos, de discriminados sociais... Todos se agrupam e criticam para se autodefender. E por que tanto se protegem? Porque desconhecem o que levam dentro de si. Só temos medo quando não vivemos de acordo com nossa realidade íntima, quando não estamos de acordo com nós mesmos. Aliás, tudo não passa de uma questão de conveniência evolutiva. Um dia, porém, cada um de nós terá de encontrar por si mesmo o "permitido" e o "proibido".

No final desta fábula, La Fontaine deixa uma mensagem a todos aqueles que se acham inigualáveis: "*Esta história se endereça a vós que só sabeis criticar, nada mais. A tudo e a todos mordeis, imprimindo a marca ultrajante de vossos dentes, mesmo sobre as obras-primas*".

Há indivíduos que, por se julgarem o máximo, acabam "roendo lima". Maldizem até a mais bela obra de arte. Menosprezam, igualmente, os que adquiriram "obras transcendentais", aquelas que as traças não roem. Depreciam os bens conquistados pelos que não são escravos da opinião pública; pelos que sabem distinguir aquilo que lhes é útil daquilo que não lhes serve; pelos que dirigem seu comportamento conforme julgam correto, porque desenvolveram o "senso crítico", o discernir ético, propriedade de uma individualidade universal.

Conceitos-chave

Senso comum

É a primeira compreensão de mundo resultante da herança cultural e das experiências familiares que um indivíduo sedimenta em si mesmo. É um conjunto de opiniões, juízos e entendimentos no qual prevalece o contexto social em que se vive, e que se impõem como naturais e necessários, não envolvendo ponderação, avaliação ou questionamentos. Quase sempre, o senso comum é baseado em fontes de conhecimento que oscilam entre a tradição e o não saber, a ingenuidade e os preconceitos. Agir de acordo com o senso comum é se deixar guiar pela submissão às idéias dominantes e aos poderes preestabelecidos.

Senso Crítico

A palavra crítico vem do latim "criticus", derivado do grego kritikós (que julga, avalia, decide, ou seja, que questiona sempre). Somente desenvolvemos o crivo da razão quando aprendemos a arte de questionar. Questionar é pensar, refletir, contestar fatos, conceitos; é apresentar idéias em objeção a outras idéias; é investigar metodicamente algo ou opiniões. Devemos ter o hábito de perguntar a nós mesmos se aquilo que temos ao nosso dispor é realmente bom, se é o melhor segundo nossa concepção de vida e se é verdadeiro. Nunca aceitemos nada, nem mesmo o que se está lendo agora, sem questionamento. O senso crítico dá ampla consciência do adequado e do inadequado.

Complexos

Segundo Jung, conjuntos de experiências traumáticas ou choques emotivos que têm dinâmica e atividade próprias e se estruturam como unidades autônomas no nosso inconsciente pessoal. Eles são provocados por situações psíquicas de forte comoção contraídas nas áreas sociais, culturais, sexuais, religiosas e outras tantas. Embora a infância seja a fase mais própria para se adquirirem os complexos, eles podem ser provocados e se manifestarem em qualquer fase da vida. Quanto mais consciência tivermos dos nossos complexos, mais poderemos formatar um arranjo emocional dinâmico para nosso desenvolvimento pessoal.

Moral da história

A crítica perniciosa é subproduto de criaturas que nada realizam de importante; não enfrentam desafios nem se arriscam a transformações ou mudanças. Os críticos mordazes ficam imobilizados, observando sistematicamente o que as pessoas dizem, fazem e pensam, para depois maldizerem as realizações alheias, usando suas elucubrações doentias e apartadas de uma mente objetiva e racional. São fortemente presos às normas sociais e a inúmeras convenções; submetem-se ao "senso comum", e não ao próprio "senso crítico". A crítica séria só admite o que é suscetível de prova. Quem é provido de senso crítico tem consciência lúcida e rompe com as posições subjetivas, preconceituosas, pessoais e mal fundamentadas, retiradas das crenças populares. As discordâncias são perfeitamente saudáveis e normais, desde que se apóiem em fatos concretos, e não nos vapores das suposições ou das projeções da personalidade doentia.

Reflexões sobre esta fábula e o Evangelho

"Preservai-me (...) do orgulho, que poderia me enganar sobre o valor do que obtenho; de todo sentimento contrário à caridade com respeito aos outros (...). Se estou induzido ao erro, inspirai a alguém o pensamento de me advertir, e a mim a humildade que me fará aceitar a crítica com reconhecimento, e tomar para mim mesmo, e não para os outros (...)" (ESE, cap. 28, item 10.)

"E, se alguém ouvir as minhas palavras, e não as guardar, eu não o julgo; pois eu vim, não para julgar o mundo, mas para salvar o mundo." (João, 12:47.)

> *"Somos muitas vezes mais maledicentes por vaidade do que por malícia."*
>
> *La Rochefoucauld*

O BURRO QUE LEVAVA RELÍQUIAS

Sem asas para voar

Todos aqueles que não conquistaram valor próprio ficam "sem asas para voar". Os homens modestos legitimam suas habilidades e competências e sabem usá-las com farta generosidade, porque possuem autoconsciência dos suas virtudes inatas. Já o vaidoso é inconsciente de seu potencial e busca conquistá-lo exteriormente, em vez de desenvolvê-lo na própria intimidade.

Hammed

A FÁBULA

O burro que levava relíquias

Um burro, carregando a estátua de um santo e outras relíquias, caminhava pelas ruas da cidade. E por onde ele passava as pessoas entoavam hinos e queimavam incensos. Paravam para vê-lo e fixavam em sua direção olhares de admiração. Alguns até se ajoelhavam.

Imaginando que todas as honrarias eram para ele, o burro, cheio de orgulho, marchava soberbamente diante do povo. E até fazia paradas estratégicas quando percebia que a multidão exultava.

Alguém que por ali passava, observando a pose do animal, adivinha o que lhe passa na cabeça e diz:

– Não sejas tolo, ó burro insano! Deixa de lado essa presunção! És pobre de cabeça? Não vês que as homenagens e as

preces dos suplicantes são para o santo
que carregas, e não para ti?

Quantos burros se imaginam adorados
pelos homens!

Quantos magistrados que nada sabem
são aplaudidos pela imponência da toga!

Sem asas para voar

O notável filósofo e matemático Blaise Pascal escreveu: "A vaidade é de tal forma inerente ao coração do homem que todo mundo quer ser admirado – mesmo eu, que assim escrevo, e você, que me lê".

Todos aqueles que não conquistaram valor próprio ficam "sem asas para voar". Os homens modestos legitimam suas habilidades e competências e sabem usá-las com farta generosidade, porque possuem autoconsciência das suas virtudes inatas. Já o vaidoso é inconsciente de seu potencial e busca conquistá-lo exteriormente, em vez de desenvolvê-lo na própria intimidade.

O modesto fala por si só, pelo silêncio que manifesta, e, quando se exprime, é por meio da simplicidade, lucidez e síntese; o presunçoso, quando quer obter algo, a qualquer custo, faz discursos pomposos e arrogantes.

Todos nós apreciamos a consideração, a afabilidade, a atenção, as homenagens e os agradecimentos. Manifestações de afeição e reconhecimento fazem bem. Quem de nós haveria de abrir mão desses pronunciamentos?

No entanto, para uma criatura presunçosa, o aplauso passa a ser uma necessidade constante e vital, e não uma aspiração momentânea que corresponda a um fato realmente merecido.

Certos homens, como o burro que carregava relíquias, supõem serem melhores e superiores, não se enxergam, não percebem o disparate de suas posturas arrogantes. Mas, como na fábula, há sempre alguém que os alerta dizendo:

"– *Não sejas tolo, ó burro insano! Deixa de lado essa presunção! És pobre de cabeça? Não vês que as homenagens e as preces dos suplicantes são para o santo que carregas, e não para ti?*"

A busca da aprovação pode ser comparada à história bíblica dos filhos de Isaac – Jacó e Esaú. Ela descreve a busca desesperada daquelas pessoas que tentam comprar a glória e a fama por um prato de lentilha.

"Um dia em que Jacó preparava um guisado, voltando Esaú fatigado do campo, disse-lhe: 'Deixa-me comer um pouco, porque estou muito cansado.'

Jacó respondeu-lhe: 'Vende-me primeiro o teu direito de primogenitura.' Ponderou Esaú: 'Morro de fome, que me importa o meu direito de primogenitura?'. Disse Jacó: 'Jura-me, pois, agora mesmo'.

'Esaú jurou e vendeu o seu direito de primogenitura a Jacó. Este deu-lhe pão e um prato de lentilhas. Esaú comeu, bebeu, depois se levantou e partiu. Foi assim que Esaú desprezou o seu direito de primogenitura'." [1]

Costumamos entender como identidade pessoal tudo aquilo que nos distingue de uma outra pessoa. Formamos a idéia sobre nós mesmos fundamentada em alguns modelos ou *scripts* que nos foram passados por nossos pais, educadores e pessoas importantes de nosso convívio.

Com o passar do tempo, percebemos que quanto mais nos assemelhávamos a esses modelos idealizados, mais éramos amados, admirados e queridos. De maneira implícita, notamos igualmente que a sociedade e nossos entes queridos estavam perfeitamente condicionados a retribuir, com

[1] *Gênesis, 25: 29 a 34.*

estima especial e carinho, a docilidade com que cedíamos e adotávamos esse modelo comportamental que eles acreditavam ser bom.

É comum encontrar na vida social pessoas que deixam subir à cabeça os elogios que não são propriamente para eles:

"*Quantos burros se imaginam adorados pelos homens!*

Quantos magistrados que nada sabem (essência) são aplaudidos pela imponência da toga (aparência)!"

São indivíduos que defendem dia após dia um "fantasma mental", imaginado e feito de névoa, enquanto a alma, verdadeiro ser real, muito superior a todas as relíquias, coroas, cetros e direitos de primogenitura, fica esquecida e abandonada.

Nossa essência imortal está repleta de riquezas imensas e infinitas; nosso espírito é fonte inesgotável de poderes ilimitados e eficazes. Por analogia, a alma assemelha-se a "cornucópia" da mitologia grega: um vaso em forma de chifre, com abundância de frutas e flores, que expressava a fertilidade e a riqueza. Miticamente relacionada à infância de Júpiter, o chifre da cabra Amaltéia é símbolo de plenitude, capacidade e prosperidade; características idênticas às da alma.

A modéstia requer auto-reflexão e disciplina. A verdadeira simplicidade consiste no ato de nos despirmos da auto-admiração lisonjeira, do narcisismo e das falsas noções a respeito de nós mesmos, para tratarmos do que é verdadeiramente real.

Conceitos-chave

Presunção

Ato de tirar uma conclusão antecipada, baseada em indícios e suposições, e não em fatos reais; julgamento alicerçado em aparências; suposição que se tem por verdadeira; julgamento exageradamente bom e lisonjeiro sobre si mesmo; demonstração pública dessa opinião; imodéstia, pretensão, vaidade, confiança excessiva em si mesmo.

Scripts

Muitos de nós tentamos esconder nossos pontos fracos e nos mostramos diante dos outros com aparências imponentes, representando papéis sociais que não correspondem aos fatos. Simular socialmente um *script* é formar uma idéia inconsistente e distanciada da realidade em que vivemos, supondo ou pensando sermos o que não somos. Em várias circunstâncias, nós nos utilizamos de uma aparência enganadora para ocultar ou disfarçar nossos conflitos, desajustes, fragilidades e pontos vulneráveis.

Cornucópia

Segundo a Mitologia, Júpiter, filho de Saturno e de Réia, foi separado da mãe ao nascer e amamentado por uma cabra, única maneira de livrá-lo das garras do pai que, temendo ser destronado por um de seus descendentes, engolia-os logo que nasciam. Assim, Júpiter cresceu tendo como ama de leite a mitológica cabra Amaltéia. Um dia, enquanto o deus infante brincava com a ama, quebrou sem querer um de seus chifres. Para compensar sua imprudência, Júpiter prometeu a ela que o corno que restara despejaria sempre e em abundância flores e frutos. E quando Amaltéia morreu, para agradecer os cuidados que dela recebeu de criança, o jovem deus Júpiter colocou-a no céu, brilhando na constelação de Capricórnio. Do mito para a vida, temos a imagem do vaso corniforme, que se representa cheio de flores e frutos, e a cornucópia, símbolo da abundância, da plenitude, da profusão gratuita dos dons divinos que jazem na essência de cada um, aguardando para serem acordados.

Moral da história

Aqueles que se vangloriam com os bens dos outros se expõem ao riso daqueles que os conhecem. Narcisistas são visionários da própria imagem. O que acontece é que o narcisista identifica-se com a imagem auto-criada. O *Self* (essência) ficou escondido, porque a imagem inventada deixou-o nublado. Os narcisistas são presunçosos, não funcionam em termos do "eu verdadeiro", porque este lhes é ignorado; não olham para si mesmos, é como se olhassem seu reflexo num espelho. E assim, perdem a oportunidade de amadurecer, impedindo que os sentimentos verdadeiros ocupem o espaço que lhes cabe. Personagem mitológico extremamente belo e vaidoso, Narciso se atira nas águas, apaixonado pela própria imagem refletida no lago. Por extensão, a Psicologia define o narcisismo como "estado em que a libido é dirigida ao próprio ego". Qualquer semelhança com os "narcisos da vida" não será mera coincidência, pois eles procuram se sustentar emocionalmente pelas aparências e não cultivam os dons divinos que lhes foram gratuitamente oferecidos. São como peças decorativas: jazem em determinados espaços para esconder um vazio, para camuflar a solidão de um canto ou o vão ocioso de uma sala. São ornamentos, nada mais.

Reflexões sobre esta fábula e o Evangelho

"É preciso se guardar de confundir a fé com a presunção. A verdadeira fé se alia à humildade; aquele que a possui coloca sua confiança em Deus mais do que em si mesmo, porque sabe que, simples instrumento da vontade de Deus, não pode nada sem ele (...)" (ESE, Cap 19, item 4, Boa Nova Editora)

"Vivei em boa harmonia uns com os outros. Não vos deixeis levar pelo gosto das grandezas; afeiçoai-vos com as coisas modestas. Não sejais sábios aos vossos próprios olhos." (Romanos 12:16)

"O orgulho é igual em todos, só diferem os meios e a maneira de o mostrar."

La Rochefoucauld

O GAIO ENFEITADO COM AS PLUMAS DO PAVÃO

O plágio

Há quem se reveste da personalidade de outrem, ou a assume, para se ocultar, dissimular ou encobrir a própria identidade. Mascara-se ou se "maquia" para alterar algo ou manter em segredo uma realidade que quer resguardar.

Hammed

A FÁBULA

O gaio enfeitado com as plumas do pavão

Um gaio[1] apoderou das penas que um pavão trocara. Colocou-as em seu corpo e acreditando ser uma bela ave, foi exibir-se entre os outros pavões.

Reconhecido, ei-lo enxotado a bicadas e empurrões violentos. Depenado pelos pavões, ele foge entre vaia estrondosa, corrido, por ludibriar; leva o corpo em carne viva.

Buscando asilo e refúgio entre os gaios, seus iguais, foi repelido a assobios e gargalhadas.

Gaios bípedes eu conheço que não são imaginários; eles usurpam penas alheias e se chamam plagiários.

Mas, cala-te, boca! Não é do meu feitio apontar os impostores! Entre os pavões são notórios os gaios que se apoderam do que não lhes pertence.

---

[1] *Gaio: ave da família dos corvídeos do tamanho aproximado de uma pomba e de plumagem marrom-avermelhada, com asas e caudas negras.*

O Plágio

Plagiar não é somente fazer imitação de um trabalho alheio ou apresentar como da própria autoria uma obra artística, literária, científica que pertence a outrem. Pode também ser interpretado, psicologicamente, como uma atitude íntima que se opera na casa mental além dos limites da percepção consciente.

"Querer ser ou parecer o outro", na maior parte das vezes, é um fenômeno inconsciente, pois a atividade mental do indivíduo acontece por meio de atitudes imperceptíveis, não deixando explícita sua intencionalidade. Há, porém, inúmeras formas de plagiar que se encaixam perfeitamente no quadro de estados patológicos da mente.

Adornar-se com "penas de pavão" pode parecer simplesmente uma "fantasia", mas é uma defesa do ego que proporciona satisfação ilusória para os desejos íntimos não realizados. O inconsciente cria uma satisfação-substituta que supostamente supre a realidade.

Há quem se reveste da personalidade de outrem, ou a assume, para se ocultar, dissimular ou encobrir a própria identidade. Mascara-se ou se "maquia" para alterar algo ou manter em segredo uma realidade que quer resguardar.

Esses processos psíquicos, são freqüentes em indivíduos saudáveis, mas, em excesso, eles sugerem sintomas neuróticos e, em alguns casos extremados, indicariam até psicopatia, transtorno mental caracterizado por desintegração da personalidade, conflito com a realidade ou fragmentação da casa mental. Daí o termo esquizofrenia: do grego skhizo (separar, dividir, fender) e phrên, phrenós (coração, alma, mente, vontade).

Existem homens que apresentam comportamento idêntico ao dos "gaios", pois vivem situações fantasiosas, impregnando-se de peculiaridades ou características de outrem, e se transformam, total ou parcialmente, de maneira irreal, no modelo idealizado. É um anseio imaginário em que o sujeito está vivenciando, de modo dissimulado, uma necessidade íntima, consciente ou não.

Muitos de nós deixamos de viver saudavelmente porque idealizamos um futuro ilusório; e baseamos a vida em idéias sem consistência ou fundamentos reais. Esperar aceitação total na Terra é ilusão, e esperança de agradar a maioria das criaturas é ilusão ainda maior.

Recheamos a mente de teorias e idéias inacessíveis e a boca de admiráveis palavras, em vez de intensificarmos o melhor de nós mesmos na vida prática.

Mas só se vive de fato a partir da própria realidade. Por fora, podemos viver contemporizando com todos; mas por dentro, só escutando Deus em nós.

Por que objetivar para nós ideais de outrem quando o real não condiz com nossa essência?

Não estamos nos referindo à realidade circunstancial em que vivemos hoje, mas à que está no nosso íntimo, que está além dos eventos do dia-a-dia e de todas as ocorrências externas. Somente produzimos a partir dos frutos oriundos do nosso âmago. Disse Jesus a respeito das aparências: "Por seus frutos os conhecereis..." [2]

---

[2] *Mateus, 7: 20*

As "árvores" não serão conhecidas e respeitadas apenas por sua aparência exterior . Não só pelo caule vetusto ou copa frondosa. Não apenas por suas folhagens verdejantes ou ramos mirrados. Nem pela feição imponente ou aspecto definhado. Não só pela exuberância das flores ou pelas pétalas sem viço. Não apenas pela fragrância suave ou pelos aromas desagradáveis. Mas sobretudo pelos frutos, pela serventia, pela capacidade de produzir. Igualmente acontece com a nossa individualidade transcendental em desenvolvimento.

Na natureza, os "gaios" são tão importantes como os "pavões" e, na coletividade humana, cada um de nós tem sua própria importância e é chamado a cooperar de modo singular no concerto da vida.

Um ser desperto e lúcido não nos analisará pelo que parecemos, não fará juízo de valor aquilatando simplesmente nossa exterioridade, ou mesmo examinando apressadamente nossos atos e atitudes , mas sim, observará nossa capacidade de realização e colaboração no bem comum e na nossa habilidade de expressar socialmente algo positivo de que todos possam usufruir.

"Pelos frutos os conhecereis" – afirmou Jesus de Nazaré. De nada nos adianta uma máscara ou aparência plagiada, pois seremos apreciados pelas nossas reais intenções e atitudes interiores. Por isso, sim, seremos conhecidos.

Conceitos-chave

Mecanismos de defesa do ego

São processos psíquicos inconscientes que aliviam o ego do estado de tensão causado por ameaças e fatos inaceitáveis que emanam da realidade externa. Ao permitirmos que alguns conteúdos psicológicos indesejáveis cheguem claramente à consciência, esses mecanismos entram em ação para dar suporte enquanto não encontramos solução para os conflitos que julgamos incapazes de resolver.

Máscara

Deriva do italiano *maschera*. Já as palavras "pessoa" e "personagem" originam-se do latim *persona*, que significa "máscara de ator de teatro". Todas as pessoas têm sua personalidade, ela é delimitadora de sua relação com seus iguais, é a máscara que todos usam nas suas relações interpessoais. Conceitua-se personalidade tudo aquilo que distingue uma pessoa de outras, quer dizer, o conjunto de características psicológicas que determinam sua individualidade.

Idealização

É viajar ao mundo da fantasia. É tirar os pés do chão e pisar num palco, onde representamos imprevistos e inusitados papéis. No amor, a idealização é uma aventura irreal, um conto de fadas. É assim que pensam muitos: "ela corresponderá a todos os meus anseios"; "ele será decidido e me protegerá sempre", "ela jamais me decepcionará", "ele nunca olhará para outra"; "ela será servil e me deixará tomar as decisões". A insanidade do idealizador é ignorar a própria idealização e a vida real, que passa despercebida.

Moral da história

Quem não se contenta com o que é e com o que tem e cobiça o que ao outro pertence acaba perdendo o que lhe era próprio. Tomemos consciência do que nós somos agora. Vivamos o hoje. Sem expectativas e idealizações, estaremos rumo à nossa própria realidade, ou seja, à existência pela qual Deus nos criou. Aquele que vive a partir de sua essência, sem se deixar escravizar pelas forças obscuras das convenções sociais, com certeza atingirá seus objetivos íntimos e cumprirá suas metas existenciais. Possuímos uma vida singular. Esse sentimento de que todos menos nós temos uma vida de valia, utilitária e valorosa é repercussão do passado. Crenças negativas que nos impedem de desenvolver saudavelmente a criatividade. A felicidade de cada indivíduo existe na proporção direta do grau de realidade em que ele vive.

Reflexões sobre esta fábula e o Evangelho

"(...) e enviaram-lhe os seus discípulos, juntamente com os herodianos, a dizer: Mestre, sabemos que és verdadeiro, e que ensinas segundo a verdade o caminho de Deus, e de ninguém se te dá, porque não olhas a aparência dos homens." (Mateus 22:16.)

"A benevolência para com os semelhantes, fruto do amor ao próximo, produz a afabilidade e a doçura que lhe são a manifestação. Entretanto, não é preciso se fiar sempre nas aparências; a educação e a civilidade do mundo podem dar o verniz dessas qualidades. Quantos há cuja fingida bonomia não é senão máscara para o exterior (...)" (ESE, cap. IX, item 6, Boa Nova Editora)

"Tão acostumados estamos a nos disfarçar para os outros que acabamos nos disfarçando para nós mesmos."

La Rochefoucauld

O CARVALHO E O CANIÇO

Retirar os remos da água

Às vezes, quando o vento da renovação começa a uivar, não temos certeza de que as transformações serão para melhor. Apesar disso, devemos nos entregar, mesmo quando não sabemos aonde as mudanças irão nos levar. A Providência Celestial tem um plano só para nós, e as ventanias nos conduzirão aonde precisarmos ir. Em certas ocasiões, é necessário "retirar os remos da água" e confiar na embarcação divina.

Hammed

O carvalho e o caniço

Um carvalho, de bom coração, porém superficial em seus julgamentos, uma vez que acreditava na superioridade da aparência e desconhecia os valores verdadeiros ocultos na essência, olhando a fragilidade do caniço e dele se compadecendo, assim falou:

– A natureza foi injusta com você. Frágil como é, um passarinho é uma carga pesada para suas forças. E o mais fraco dos ventos o abriga a inclinar-se e vergar a fronte. Ainda se tivesse nascido à sombra de minha ramagem e fosse mais alto, eu poderia servir de escudo para você e protegê-lo das tempestades que o ameaçam. Devo acrescentar que o admiro pela maneira como aceita, sem reclamar, a sua pequenez e a sua debilidade.

O caniço agradeceu a compaixão e a bondade do carvalho e replicou: Não se preocupe com a minha suposta fragilidade. Você se engana com ela. Por trás dessa aparência delicada existe, em essência, uma força que me faz ser forte e auto-suficiente. Eu sou flexível. Eu me curvo, se preciso for, mas não quebro. Na verdade, os ventos são mais perigosos para você do que para mim.

Mal terminou de proferir essas palavras, no final do horizonte forma-se um terrível vendaval que, furioso e implacável, fustiga tudo que lhe aparece pela frente. E o carvalho e o caniço são alvos de seus açoites.

A árvore enfrenta o vento forte e tenta a todo custo manter-se em pé; a cana dobra, inclina a fronte.

O forte, que se julgava alto como as montanhas do Cáucaso e capaz de suportar os violentos temporais, não resiste. E o vento fica mais violento e arranca aquele cuja cabeça era vizinha do céu e cujos pés tocavam o império dos mortos.

Retirar os remos da água

Nada na Terra pode vencer o homem flexível, pois tudo pode conseguir aquele que não oferece resistência. A propósito, a maioria das coisas muito duras tem grande propensão para quebrar.

Dizem as tradições orientais que a água é o mais poderoso dos elementos, porque é a excelência no mais alto grau da "não-resistência". Ela pode desgastar uma rocha e arrasar tudo à sua frente. Ao mesmo tempo, quando encontra uma pedra pelo caminho, não fica irritadiça, contorna os obstáculos; e, se pressionada por algum motivo, comprime-se o quanto quer.

Não fica lá, parada, censurando, pois não vê nenhuma vantagem em perder tempo e energia por causa de um incidente natural. A água se desvia da pedra e segue normalmente seu curso. Por que se estressaria com a ordem regular das coisas?

As águas de um rio vão para o oceano, para o grandioso. É para isso que ela está em andamento. Isso é que importa. Os detritos são entraves característicos do caminho. Se a água combatesse os pedregulhos, as grandes pedras, árvores submersas, terrenos em declive, ela se consumiria desnecessariamente e, por conseqüência, retardaria sua chegada ao mar.

A correnteza ficaria intoxicada pelo mau humor e contaminada pelos ressentimentos, maculada de amarguras por todas as adversidades encontradas no leito fluvial.

Assim como o curso natural do rio tem como desígnio levar suas águas para a imensidade do oceano, nós igualmente temos um ministério a cumprir. Se ficarmos inflexíveis, resistindo e nos envolvendo com cada um dos pequenos contratempos do cotidiano, isso só vai redundar em impedimento para cumprimos a tarefa evolutiva de nossa existência.

O que mantém o dinamismo da vida na água é o fluxo da correnteza. O movimento contínuo sustenta a vida ativa, não deixando que ela se altere substancialmente. O curso fluvial de um rio é que sustenta a vida nele.

Diz o caniço ao carvalho: "*Não se preocupe com a minha suposta fragilidade. Você se engana com ela. Por trás dessa aparência delicada existe, em essência, uma força que me faz ser forte e auto-suficiente. Eu sou flexível. Eu me curvo, se preciso for, mas não quebro. Na verdade, os ventos são mais perigosos para você do que para mim.*"

Os antigos sábios perceberam que no fato do bem viver o que impera é a flexibilidade, tal como faz a água, o melhor modelo de fluxo da Natureza. Durante as estações do ano, o que percebemos é seu movimento contínuo em todas as suas manifestações: rios, lençóis freáticos, lagos, mares, neve, degelo, nuvens e evaporação.

Se a vida é transformação, variação, ciclo e impermanência, o que rege a existência humana também são as oscilações sucessivas e flexíveis que obedecem a uma Ordem Providencial. É bom lembrarmos que as almas mais fortes são as mais maleáveis, abertas a mudanças e a novas informações.

Somos membros do Universo em contínua evolução e precisamos aprender a nos adaptar e a nos ajustar a uma visão de mundo passível de transformação, reciclando pensamentos, crenças e idéias, fazendo novas interpretações das circunstâncias e das ocorrências do cotidiano. Não devemos ser homens automatizados. Onde não há liberdade para se questionar, não há ética.

Quantas vezes a maneira rígida de pensar ilude o "homem carvalho", "*de bom coração, porém superficial em seus julgamentos*" fazendo-o acreditar que possui uma força indestrutível como a árvore desta fábula, mas diante das tempestades existenciais "*tenta a todo custo manter-se em pé;(...) se julgava alto como as montanhas do Cáucaso e capaz de suportar os violentos temporais, não resiste. E o vento fica mais violento e arranca aquele cuja cabeça era vizinha do céu* (...)".

Nossa alma terá firmeza e vigor diante das intempéries se conseguirmos manter a mesma flexibilidade do "caniço", prontos a ceder diante das renovações, reformulando planos, admitindo novas opiniões, aderindo a convicções baseadas em provas incontestáveis, fazendo associações prazerosas e estimulantes; angariando, assim, energias que fortalecem e alimentam o próprio espírito.

"Fluir" não quer dizer somente "passar por", "deixar-se conduzir", "percorrer distância", "circular com rapidez". O fluxo ao qual nos referimos é muito mais do que isso. Na verdade, falamos da ritmicidade cósmica que comanda o Universo e que mantém tudo em perfeita ordem.

Não existe o caos. Em todas as coisas reina um ciclo, um propósito ou trajetória em completa harmonia. Às vezes, temos a impressão de que a desordem e a confusão mental invadem nosso reino interior, mas, se olharmos num nível mais profundo, perceberemos que tudo está em plena concordância. A dureza, a agitação e o tumulto provêm da postura ególatra da visão humana.

De modo geral, as pessoas resistentes, podem estar sendo assaltadas por fortes imagens mentais de situações de inflexibilidade vividas no lar. Quando uma criatura associa um fato recente a uma situação registrada anteriormente (ainda que não se dê conta disso), seus sentimentos agem imediatamente como se ela estivesse vivenciando o próprio fato precedente.

O antigo ditado "Tal pai, tal filho", utilizado comumente para justificar qualquer tipo de escolha de um indivíduo que se revela afortunado ou mal-sucedido, vincula erros e hábitos, virtudes e vícios a um padrão familiar, imutável e inflexível. É uma generalização que confina e explica as ações dos pais e dos filhos, para o bem ou para o mal.

Existe uma ponte entre hábitos e generalização. A existência humana nada mais é do que uma textura de hábitos. Hábitos do pretérito somados aos do presente. Evidentemente, nossa forma costumeira de ser, fazer, sentir, individual ou coletivamente, é produto de nossas vivências associadas às mais diversas motivações. Elas determinam ao comportamento uma intensidade, uma direção determinada e uma forma de desenvolvimento individual da criatura.

Entretanto, não devemos nos esquecer de que na infância poderemos formatar novos padrões de comportamento, alicerçados em hábitos adquiridos em outras existências. Os regulamentos e preceitos impostos pelos pais influenciam no desenvolvimento psicossocial dos filhos.

A criança precisa do afeto real, não de cobranças. De um sentimento intenso, consistente, suave, tranqüilo, sem arrebatamentos exagerados e momentâneos, mas sim, freqüentes e duradouros.

Uma simples palavra de incentivo, um sorriso de aprovação, um olhar de encorajamento funcionam como um fermento magnífico que os pais podem e devem dar aos filhos.

Crianças que nunca são elogiadas se desenvolvem com certa dose de frustração, desapontamento, decepção, inibição e com baixa estima.

Os adultos devem aprender a aceitar os filhos como são e não formar modelos inatingíveis, desumanizá-los, julgando-os como super-homens ou tentando enquadrá-los a um padrão idealizado.

Indivíduos intransigentes são como investigadores que se apegam apenas a uma pequena parte de um todo como resultado final sobre a questão que estão tentando decifrar. E quando outras evidências são encontradas, eles as alteram para que se encaixem impecavelmente em suas conclusões precoces.

Em contrapartida, as criaturas flexíveis formulam estimativas de importância e de valor relativos até que se prove o contrário, ou seja, reconsideram e revisam de forma permanente seus pontos de vista a fim de alcançarem verdadeiramente os fatos reais.

Às vezes, quando o vento da renovação começa a uivar, não temos certeza de que as transformações serão para melhor. Apesar disso, devemos nos entregar, mesmo quando não sabemos aonde as mudanças irão nos levar. A Providência Celestial tem um plano só para nós, e as ventanias nos conduzirão aonde precisarmos ir. Em certas ocasiões, é necessário "retirar os remos da água" e confiar na embarcação divina.

Conceitos-chave

Erros

Almejemos o aperfeiçoamento, não a perfeição precipitada. Nunca devemos abrir mão do nosso direito de errar, porque então perderemos a disposição de aprender coisas novas e de fazer nossa vida progredir. O único ser humano que jamais comete erros é aquele que nada faz. Quem nunca errou? Errar não é nenhuma tragédia. Quando erramos, "não desviamos as estrelas de sua rota". É uma faceta da condição humana. O delito não é o erro: o erro é insistir nele e não aprender, não mudar de atitude. Não tenhamos medo de cometer erros; não nos privemos da experiência que com eles adquirimos. Aliás, a soma de todos os nossos erros se chama experiência.

Generalização

Muitas vezes, ao fixarmos certas concepções ou pontos de vista alheios como se fossem absolutos e plenamente corretos, nem notamos que somos reféns emocionais. A linguagem molda a conduta, e reforçar muito um certo tipo de opinião sobre nós mesmos ou sobre outras pessoas pode influenciar negativamente nossos atos e atitudes. A generalização é o processo pelo qual o indivíduo, após vivenciar um fato traumático ou uma série deles, passa a estender essa experiência e ampliá-la de modo sucessivo para todos as áreas da sua existência. Exemplos: crianças que têm trauma em relação aos gatos, por terem sido mordidas por um quando pequenas, ou por terem ouvido dizer que gatos não são de Deus, podem transferir o pânico para outros animais; crianças desobedientes, ameaçadas constantemente pelos pais que tomariam injeção como castigo, podem desenvolver pavor a hospitais.

Hábitos

Hábitos são atos de uso repetido que levam informações ou noções de vida e, por conseqüencia, induzem a uma maneira permanente e regular de agir, ou seja, a uma prática esperada de conduzir-se na sucessão dos dias. É na infância que tudo pode acontecer. Os adultos têm como intenção agir, de forma inconsciente ou não, com dois propósitos: inicialmente querem familiarizar a criança com o tipo de procedimento considerado aceitável pela família e pelo agrupamento social em que vivem; depois estabelecem limites comportamentais restringindo-as dentro dos moldes vigentes ou pré-estabelecidos pela sociedade. Quanto mais austeros tais preceitos, mais dificuldades ela encontrará na adaptação e mais transgredirá as normas estabelecidas, além dos agravos e traumas psicológicos sérios que poderão aparecer futuramente. Não estamos aqui nos esquecendo que regras e princípios demasiadamente permissivos, brandos ou tolerantes darão uma autonomia desmedida e perigosa à criança nesse momento importante da formação de seu caráter e personalidade.

Moral da história

Novas ocorrências requerem novas conclusões. Quando verificamos nossos equívocos ou mesmo mudamos de idéia sobre algo ou alguém e, ainda assim, permanecemos inflexíveis e arrogantes diante de uma tomada de decisão, isso pode ser o caminho certo para atingirmos a infelicidade e as desditas existenciais. Não devemos subestimar a voz do coração ou nos julgar frágeis e fracos por mudarmos nossa maneira de sentir, pensar e agir diante das coisas. Sem erro não há conhecimento; sem conhecimento não há evolução: e sem evolução o homem não teria chegado ao estágio em que se encontra. Cabe a nós, então, encarar os desacertos como parte integrante do processo evolutivo, como algo a ser repensado. Libertemo-nos das culpas, das eternas queixas, das comoções de irritação, da agressividade e da frustração. Tentar parecer forte, enérgico e decidido perante as situações que requerem mudança pode nos levar ao que sucedeu com o carvalho. Quebra "a árvore que enfrenta o vento forte e tenta a todo custo manter-se em pé; a cana dobra, inclina a fronte" e permanece ilesa.

Reflexões sobre esta fábula e o Evangelho

"Os preconceitos do mundo sobre o que se convencionou chamar o ponto de honra dão essa suscetibilidade sombria, nascida do orgulho e da exaltação da personalidade, que leva o homem a restituir injúria por injúria, insulto por insulto" (...) (ESE, cap.12, item 8, Boa Nova Editora.)

"Eu vos digo para não resistirdes ao mal que se vos quer fazer; mas se alguém vos bate na face direita, apresentai-lhe também a outra" (...) (Mateus, 5:38)

"A verdadeira eloqüência consiste em dizer tudo o que é preciso, e somente o que é preciso."

La Rochefoucauld

O CAVALO QUE QUIS SE VINGAR DO CERVO

O direito de ir e vir

"Nunca devemos nos aliar a alguém com finalidade perversa e vingativa, pois a dependência criada nesse tipo de cumplicidade pode nos acarretar prejuízos de toda sorte, aprisionando-nos à tramóia por tempo indeterminado."

Hammed

O cavalo que quis se vingar do cervo

O cavalo não era doméstico outrora.

Houve um tempo em que os homens se alimentavam só de frutos. Nessa época viviam nas florestas os cavalos, jumentos, burros, mulas, todos livres correndo pelos campos.

Não havia, como agora, arado, selas, selins, cadeirinhas, carruagens, arreios, nem também tantos banquetes, casamentos e festins.

Foi quando o cavalo teve uma discussão com um cervo extremamente lépido e, não havendo um modo de alcançá-lo, foi, pois, o cavalo implorar o auxílio do homem.

O homem meteu-lhe um freio, nas costas uma sela e, saltando-lhe ao dorso, somente lhe deu descanso quando matou o infeliz cervo.

Isso feito, eis que o cavalo agradece ao benfeitor e diz-lhe:

– Obrigado! Agora te apeia e leva o que caçaste. Estou muito agradecido por tão distinto favor. Vou voltar à floresta, onde vivo. Adeus, adeus, meu senhor!

Não – respondeu-lhe o homem. – Não irás retornar, pois agora o teu lar será este aqui, junto comigo! Tu não padecerás de fome ou frio e terás uma manjedoura abarrotada de feno.

– De que vale a fortuna se a liberdade é perdida! Assim, viu-se o cavalo privado do maior bem desta vida. E quando volta, a estrebaria já estava construída.

Ali terminou seus dias sempre arrastando o grilhão. Não teria sido melhor que houvesse dado o perdão de tão leve ofensa ao pobre veado?

O mesquinho prazer de se vingar não compensou pagar o alto preço da perda do direito de ir e vir.

O direito de ir e vir

Um dos grandes perigos da revanche ou da vingança é ficarmos presos ou subordinados a certas condições inalteráveis estabelecidas no ato vingativo. Falar ou agir sem pensar nas conseqüências é como disparar uma flecha sem apontar ou visualizar a direção.

"(...) O cavalo teve uma discussão com um cervo extremamente lépido e, não havendo um modo de alcançá-lo, foi, pois, o cavalo implorar o auxílio do homem".

O homem, habilidoso para negociar com astúcia e inteligência, usou de artifícios para obter vantagens à custa do cavalo. Podemos ter uma idéia clara desse comportamento lendo os versos do salmista: "A sua palavra era macia como manteiga, mas no seu coração havia guerra; as suas palavras eram mais brandas do que o azeite, todavia eram espadas desembainhadas". [1]

Os salmos são hinos sagrados por meio dos quais os hebreus costumavam louvar a Deus. O povo de Israel denominava esses cantos de salmos por serem cantados ao som de um instrumento a que os gregos davam o nome de saltério – do grego *psaltêrion*.

"(...) o cavalo agradece ao benfeitor e diz-lhe: – Obrigado! Agora te apeia

[1] *Salmos, 55:21.*

e leva o que caçaste. Estou muito agradecido por tão distinto favor. Vou voltar à floresta, onde vivo. Adeus, adeus, meu senhor!"

Se o procedimento do homem foi perspicaz, a conduta do cavalo foi de excessiva ingenuidade. Podemos conjecturar ou deduzir sobre esta atitude avaliando o sábio provérbio oriental: "A palavra que tens dentro de ti é tua serva; aquela que deixas escapar é tua senhora".

É comum encontrarmos em sociedade indivíduos que, como o cavalo, falam e agem impensadamente e se esquecem de que a sua ingenuidade pode impedi-los de deslocar-se de um lugar a outro. O cárcere é uma janela aberta no muro negro da ingenuidade.

Podemos nos sentir aliviados momentaneamente em "tirar a desforra" vingando-se de alguém por aquilo que ele fez; entretanto, ninguém nos concedeu a prerrogativa de castigar pessoa alguma por qualquer coisa. "*O mesquinho prazer de se vingar não compensou pagar o alto preço da perda do direito de ir e vir*".

A propósito, nem mesmo a Vida Providencial reservou para si o direito de castigar ou condenar, mas, sim, o de aprimorar, educar, melhorar ou transformar a forma de agir dos seres humanos através das múltiplas experiências nas vidas sucessivas.

O ser consciente não quer subjugar outras criaturas; a lucidez mental está em discordância tanto com o autoritarismo quanto com a escravidão. O dominador é aquele que não sabe sentir-se indivíduo, a não ser em função de subjugar outro ser, o dominado.

A palavra é uma corrente de força que conduz sons e veicula sentimentos. Em virtude disso, quando falamos, mostramos aos outros, com toda a transparência, aquilo que realmente somos. O verbo é a veste do pensamento.

Verbalizando, começamos a atrair. Quem se vinga atira uma pedra que voltará sempre ao local de onde procedeu.

Não devemos permitir que nossa palavra corra adiante do pensamento; precisamos usá-la a nosso favor.

Da mesma forma que, sem luz física, não vemos o mundo e, como resultado, não verbalizamos bem a maneira pela qual algo se apresenta, sem luz íntima também não nos expressamos com prudência, não ponderamos as palavras antes de pronunciá-las.

A força das palavras atrai, gradativamente, todos aqueles que pensam da mesma forma e que passarão a formar um ambiente comum em redor de nós. O que proferimos cria para nós uma espécie de sina.

A palavra maledicência – do latim "*maledicentia, ae*" – significa ação de falar mal dos outros, difamação, intriga, palavra que denigre, comentário maldoso. Por extensão de sentido, podemos deduzir que maledicente não é apenas aquele que maldiz as pessoas, mas também o que maldiz a si mesmo. Usar a palavra contra nós mesmos é quando damos a ela um mau sentido ou nos utilizamos dela ingenuamente, sem reflexão, ponderação e critério.

A propósito, na fábula em estudo, o feitiço voltou-se contra o feiticeiro, a vingança recaiu sobre o vingador. Assim como ocorreu com o cavalo, muitos seres humanos, antes livres, por serem crédulos e simplórios, fizeram mau uso das palavras. Sem pensar nas conseqüências, encarceraram a si próprios nos grilhões do "arreio, freio, sela e estrebaria" – dívidas contraídas por um favor e/ou benefício recebido.

A parábola do semeador[2] possui uma exemplificação fantástica sobre a diversidade do uso da palavra: "Saiu o semeador a semear (palavras)". Palavras foram lançadas ao léu, a "beira do caminho"; plantadas em "lugares pedregosos"; disseminadas aos "cuidados do mundo"; espalhadas "entre os espinhos"; propagadas "a terrenos infrutíferos"; semeadas na "boa terra".

"(...) foi, pois, o cavalo implorar auxílio ao homem."

Uma só palavra dita no momento certo vale mais do que uma detalhada explanação que chega tarde demais. Podemos curar o ferimento que uma espada faz; no entanto, é irreparável o prejuízo que uma palavra provoca.

[2] *Marcos, 4:14 a 20.*

Conceitos-chave

Ingenuidade

Modo de ser de pessoas que agem movidas por sentimentos de inocência e pureza. O ingênuo só vê qualidades; nunca enxerga defeitos. Não se alcança a felicidade crendo com facilidade em qualquer pessoa ou coisa, ou mesmo deixando-se envolver por uma alegria presunçosa ou credulidade excessiva.

Malícia

Aptidão ou inclinação que tem como raiz uma intenção maldosa; habilidade para ludibriar e depreciar por vias indiretas. Tendência para enganar e prejudicar os outros, utilizando a má índole; em outras palavras, capacidade de ver os outros com os "olhos da maldade".

Ir e Vir

É um direito, uma conquista de indivíduos libertos, aqueles que fazem sua caminhada existencial sabendo que sua liberdade depende exclusivamente de sua auto-responsabilidade. O ser livre não precisa exercer poder ou domínio sobre as pessoas, uma vez que a liberdade é um sentimento oposto ao desejo de controle e posse. Os possessivos são aqueles que não conseguem ser reconhecidos por seus valores internos, a não ser quando dirigem e dominam os outros.

Moral da história

Somos nós quem escolhemos a nossa conduta. O condutor, portanto, somos sempre nós mesmos. Não deixemos que "os peregrinos da estrada" da vingança, do ódio e do orgulho nos seduzam e se hospedem em nosso domicilio íntimo. Qualquer que seja a circunstância em que estejamos vivendo lembremo-nos de que nosso mundo só diz respeito a nós próprios. Fiquemos alerta ao modo como os "peregrinos" se aproximam e provocam certas sensações: a expectativa através da promessa, a culpa através da insinuação, a ira através do ataque, o burburinho através da calúnia, a paixão através da sedução, a soberba através da adulação, o temor através da chantagem. Viver em paz requer constante vigilância, por isso, note bem como funciona a manobra oculta por eles empregada. Nunca devemos nos aliar a alguém com finalidade perversa e vingativa, pois a dependência criada nesse tipo de cumplicidade pode nos acarretar prejuízos de toda sorte, aprisionando-nos à tramóia por tempo indeterminado.

Reflexões sobre esta fábula e o Evangelho

"(...) A vingança é uma inspiração tanto mais funesta quanto a falsidade e a baixeza são suas companheiras assíduas; com efeito, aquele que se entrega a essa fatal e cega paixão não se vinga quase nunca a céu aberto. (...)" (ESE, cap. 12, item 9, Boa Nova Editora)

"Porque pelas tuas palavras serás justificado, e pelas tuas palavras serás condenado". (Mateus, 12:37.)

"O que parece generosidade muitas vezes nada mais é que ambição disfarçada, que desdenha pequenos interesses para ir aos grandes."

La Rochefoucauld

A ÁGUIA E A CORUJA

O retrato não corresponde ao fato

"Pais "corujas", convencidos da superioridade e excelência da sua prole, podem exaltar fictícias qualidades; no entanto, a criança em geral é muito sensível e perceberá imediatamente um elogio que soa falso."

Hammed

A águia e a coruja

Depois de muita briga, a águia e a coruja decidiram pôr fim à sua guerra. Um abraço selou a nova amizade e prometeram ambas, com sinceridade, não devorar os filhotes das rivais. Disse a coruja:

– Basta de luta. O mundo é tão grande! Não existe maior tolice do que andarmos a comer as crias uma da outra.

– Perfeitamente. Também eu não quero outra coisa – respondeu a águia.

– Nesse caso combinemos isto: de agora em diante não comerás nunca os meus filhotes.

– Muito bem. Mas como vou distinguir os teus filhotes? Descreve-me tais quais eles são, que, juro, haverei de poupá-los.

Ante tal compromisso, a coruja, satisfeita, disse assim:

– Meus filhos são mesmo uma graça, cada qual mais bonito e de talhe bem-feito. A penugem que ostentam é fofa e vistosa; sua voz, doce e suave. Se os achares, haverás de ver que mimos tão gentis não merecem morrer.

Feito o pacto, saiu cada qual para um lado. A coruja, em busca de alimento, voou para um bosque afastado; já a águia, com atrevimento (porquanto as águias não têm medo), entrou nas fendas de um rochedo, e ali logo encontrou uns bichos esquisitos, verdadeiros monstrinhos, gemendo tristonhos, penugem horrível, emitindo gritos de som assustador.

– Esses bichos medonhos, provavelmente da coruja não serão. Assim, não há problemas: vou comê-los agora.

E ali se fartou abundantemente.

Um mau pressentimento tomou conta da coruja e a trouxe de volta ao ninho. Chegando, ela avistou, numa aflição extrema, os restos da chacina e chorou amargamente. Protestava aos gritos clamando aos céus por castigo e foi ajustar contas com a rainha das aves.

– Quê? – disse esta, admirada. Eram teus filhos aqueles monstrenguinhos? Pois, olha, não se pareciam nada com a imagem que deles me fizeste. Tu pintaste um retrato que não corresponde, de fato, a filhotes de coruja; assim, não atribuas culpas a outrem. Se as há, são só tuas!"

O retrato que não corresponde ao fato

Comumente, grande número de pais exibe condutas aparentemente qualificadas como manifestações de amor e carinho, mas que, na realidade, são comportamentos destrutivos do desenvolvimento social e emocional dos filhos. Essa atitude é denominada superproteção.

Encontramos, por parte desses adultos, uma "dominação asfixiante" e, ao mesmo tempo, um comportamento em que falta firmeza ou controle, abarrotado de agrados e/ou mimos; pretendem impor uma submissão infantil por meio de verdadeiros subornos, desprezando as reais necessidades psicológicas da criança.

Os pais superprotetores resguardam excessivamente e afastam as criaturas, desde a mais tenra idade, de todos os supostos perigos, impossibilitando que elas desenvolvam por conta própria sua defesa existencial.

Colocam-se em guarda para defender sua prole das experiências evolutivas, acreditando que sejam tribulações ou padecimentos desnecessários, e, com essa atitude nociva, impedem que as vivências naturais possam promover uma série de aprendizados. São permissivos a qualquer teimosia ou capricho. Impossibilitados de negar seja o que for, alegam que os filhos exercem um fascínio, um domínio afetivo ao qual não podem resistir.

Quando uma mãe aponta, sistematicamente, os defeitos de educação no filho da vizinha, pode haver aí um "ponto cego", ou seja, ela ignora ou não consegue ver as falhas educacionais do próprio filho e projeta seu desconforto materno para algo ou alguém.

Diz a "mãe coruja": – "*Meus filhos são mesmo uma graça, cada qual mais bonito e de talhe bem-feito. A penugem que ostentam é fofa e vistosa; sua voz, doce e suave. Se os achares, haverás de ver que mimos tão gentis não merecem morrer.*"

É comum encontrar na sociedade homens que, tal qual o mocho, cobrem os filhos de elogios, de mimos e de exagerada afetividade. Futuramente, essas crianças serão criaturas frágeis, inseguras e infantilizadas. Enfim, eles as conduzem à "morte como indivíduos" – "*esses bichos medonhos, provavelmente da coruja não serão. Assim, não há problemas: vou comê-los agora.*"

Muitos pais sentem necessidade ilimitada de satisfazer todos os desejos dos filhos, sempre desculpando o desmazelo, descaso, grosseria e indisciplina, como se fosse uma maneira de resgatar sua dívida de afeto para com eles.

Eis aqui os motivos mais freqüentes que podem levar um adulto a ter comportamentos superprotetores:

– pais que foram rejeitados na infância podem dar uma proteção acima do normal, educando os filhos de maneira inversa, como uma forma de autocompensação;

– defeitos congênitos ou enfermidade grave da criança;

– filhos únicos ou "temporões";

– filhos naturais ou adotivos;

– a morte de um irmão;

– incompatibilidade conjugal ou frustrações sexuais dos pais que projetam seus conflitos na criança através de desmedida afabilidade; e outras tantas coisas.

Seguem algumas atitudes básicas que nos permitem reconhecer o adulto superprotetor:

– relação pegajosa e maçante com a criança, sempre ao lado dela, vigiando-a incansavelmente, controlando-lhe todos os movimentos com o olhar;

– afirmação metódica aos outros de que o filho não se afasta deles nem por um instante sequer, quando, na verdade, é o reverso: são os pais que não conseguem se afastar dele;

– criação de uma atmosfera de bloqueio ao amadurecimento da criança, revelada pelo tratamento inadequado, como se ela fosse mais infantil do que na verdade é;

– esforço sobrenatural para que os filhos não saiam do ambiente familiar, impedindo-os de se desenvolverem socialmente e sendo responsáveis, conscientemente ou não, pela incapacidade que os mesmos terão para se autogovernar e pela eterna dependência emocional;

– pensamentos catastróficos que geram uma submissão neurótica nos filhos, deixando-os inseguros e medrosos além dos limites do aceitável;

– conceitos de culpabilidade, servilismo e vitimização, transmitidos por meio de frases do tipo: "Quase morri em seu parto"; "Sacrifiquei toda minha juventude", "Deveria ser grato, porque me mato por você"; "Passei muitas noites em claro", "Sempre tudo primeiro em seu favor".

As crianças precisam de elogios verdadeiros e não de supervalorização; necessitam de afetos reais, e nunca de carinhos excessivamente pegajosos. O verdadeiro amor não é exatamente "afeto viscoso".

Na verdade, o adulto pode estar projetando nas crianças seus medos e receios, principalmente o maior deles: a perda do afeto dos entes queridos. E "perder" é uma palavra corriqueira no vocabulário familiar, porque sugere "ficar sem a posse de alguém". E os mais apegados seguram o outro, colocando-o numa redoma: protegem desesperadamente os filhos para não terem que viver o próprio medo.

Conceitos-chave

Ponto cego

A definição físico-oftálmica considera o ponto cego como parte do olho (a retina) de onde emergem o nervo ótico e os vasos sanguíneos que ligam o olho ao cérebro. Esse ponto, no fundo do globo ocular, é insensível à luz, pois nele não há receptores visuais. No entanto, como nós temos dois olhos, um compensa o ponto cego do outro. Para além do olhar físico, o ponto cego é uma "mancha" localizada no ego, cuja função é a de camuflar um conflito psíquico. Algo como: "não devo olhar o que é interpretado como perigoso, não devo perceber o proibido, não devo entrar em contato com algo que possa me comprometer ou que me coloque em contradição, ou ainda que me obrigue ao confronto comigo mesmo" .

Afeto

Toda criança necessita de afeto. Com isso não estamos nos referindo às atitudes dengosas e "açucaradas", a beijinhos e abraços descompromissados que os pais adotam em relação aos filhos uma vez ou outra. Para estes, é imperioso sinceridade, aceitação, amizade e respeito. Afeto real não é o tipo do gesto que hoje é ardorosamente apaixonado, para amanhã ser indiferente e estúpido. A criança sente perfeitamente, quem sabe até de maneira inconsciente, quando seus pais, apesar dos meigos beijos e abraços, não a consideram como elemento ativo e participativo no seio do ambiente familiar. Esse paradoxo dos afetos pode levar pais e filhos aos piores conflitos domésticos. É preciso que os adultos se afeiçoem ao modo de ser das crianças, aceitando-as com ternura, naturalidade, espontaneidade, sem fantasias de grandeza, para que eles possam ver um dia, para seu grande contentamento e surpresa, como seus filhos corresponderam e ultrapassaram todas as expectativas imaginadas pela família. Para a criança, um dos maiores bens é o afeto verdadeiro e a compreensão que recebe dos pais, com os quais sabe que poderá ter como certa a ajuda e/ou apoio para sempre.

Elogios

Não apenas para os adultos e para os adolescentes, como também para as crianças, o elogio funciona como uma necessidade psicológica e um estímulo de valor incalculável. Trata-se de uma das mais poderosas motivações, pois incita de modo essencial o desenvolvimento da personalidade do ser em evolução. Fazer um elogio à criança é fator que gera entusiasmo, segurança, progresso, confiança em si mesmo e, em verdade, custa menos do que qualquer divertimento, jogo ou brinquedo, por mais baratos que sejam: custa somente disponibilidade de tempo e boa vontade. Contudo, o elogio não deve ser excessivo. Ele deve corresponder à realidade dos fatos, porque a criança possui um "radar abrangente" que percebe claramente a insinceridade e hipocrisia dos adultos. Pais "corujas", convencidos da superioridade e excelência da sua prole, podem exaltar fictícias qualidades; no entanto, a criança em geral é muito sensível e perceberá imediatamente um elogio que soa falso.

Moral da história

Vivemos numa sociedade acostumada a todo tipo de "amortecedores emocionais". Somos seduzidos por uma série de facilidades que têm por objetivo nos resguardar, de forma incondicional, dos golpes da vida. Pais que se colocam na posição de atenuadores desfavorecem o desenvolvimento emocional, intelectual e espiritual dos filhos; criam indivíduos amedrontados, inseguros, com auto-estima corrompida facilmente manipuláveis pelo meio social. Como os filhos aprendem que, sozinhos, não podem resolver problemas e dificuldades, desenvolvem gradativamente uma necessidade de proteção, amparo e apoio, submetendo-se à vontade de outrem. Com uma agravante: por não conhecerem suas potencialidades, têm dificuldades para comandar a própria vida, visto que lhes falta a experiência negada pela superproteção. Para retrato de filho, que ninguém acredite em pai pintor. Já diz o ditado: "Quem ama o feio, bonito lhe parece."

Reflexões sobre esta fábula e o Evangelho

"Quantos pais são infelizes com seus filhos porque não combateram suas más tendências no princípio! Por fraqueza ou indiferença, deixaram que se desenvolvessem neles os germes do orgulho, do egoísmo e da tola vaidade que secam o coração; depois, mais tarde, recolhendo o que semearam, se espantam e se afligem de sua falta de respeito e de sua ingratidão." (ESE, cap. 5, item 4.)

"Nisso aproximou-se a mãe dos filhos de Zebedeu com seus filhos e prostrou-se diante de Jesus para lhe fazer uma súplica. Perguntou-lhe ele: Que quereis? Ela respondeu: Ordena que estes meus dois filhos se sentem no teu Reino, um à tua direita e outro à tua esquerda. Jesus disse: Não sabeis o que pedis (...)". (Mateus, 20:20 a 22.)

"A graciosidade está para o corpo assim como o bom senso está para o espírito."

La Rochefoucauld

FIN DES FABLES

Hammed tem sido para mim não somente um mestre lúcido e lógico, mas também um amigo dedicado e compreensivo. Recebo sempre suas lições com muita atenção e carinho, porque ele tem mostrado possuir uma sabedoria e coerência ímpares, quando me orienta sobre fatos e ocorrências inerentes à tarefa na qual estamos ligados no Espiritismo.

Na França do século XVII, participou do movimento jansenista, precisamente no convento de Port-Royal des Champs, nas cercanias de Paris.

Francisco do Espírito Santo Neto

Impressão
RR Donnelley Moore
(São Paulo, SP)